U0135058

洪建全基金會50年

植栽一座文化森林

簡靜惠

作者簡介——

簡靜惠

臺北市人，臺灣大學歷史系畢業，美國羅耀拉大學教育研究所碩士。曾任洪建全教育文化基金會執行長、董事長，國家文化藝術基金會執行長、董事，國立臺北藝術大學藝術管理研究所教授，並獲十大傑出女青年殊榮。現任洪建全教育文化基金會榮譽董事長、臺灣ＰＨＰ素直友會總會長、國際電化商品公司常務董事。

她長期關懷臺灣藝術文化的發展並持續深耕，以素直心推廣閱讀並經營讀書會群。閱讀與運動是她的最愛，「既成熟又俏皮」是兒女們對她的形容。親情、老友、新知、舊雨，展現她的「一本真情」、「越活越自在」！

著作包括：《寬勉人生：國際牌阿嬤給我的十堂課》（遠流出版）、《一本真情：我在讀書會等你》（遠流出版）、《在大自然中讀書：生態讀書會種籽培訓手冊》（洪建全基金會）、《以素直精神經營讀書會群》（洪建全基金會）、《撒一把素直的種子》（洪建全基金會）。

目錄

CONTENTS

推薦序

深植在臺灣社會進展史的敏隆講堂

齊邦媛
作家．現年九十八歲

那是經濟起飛的年代，一九七一年洪建全先生創辦基金會，簡靜惠由策畫執行至今五十年。文學界的朋友們，第二年（一九七二）即驚喜地發現基金會發行《書評書目》：臺灣第一本文學書評和新書介紹的期刊。不久又出版了簡宛的《愛．生活與學習》，當時幾乎是人手一冊，開創了青少年讀物的高格調。

一九七四年設立了「洪建全兒童文學創作獎」，全臺首次如此隆重鼓勵兒童文學的獎項，投入兒童寫作及推廣，啟發了無數優秀作家。

我們很感謝自一九九一年，許倬雲教授將歷史專業融入人生的人文講座，從他與李亦園院士策畫的「宗教與社會倫理」、「現代社會的職業倫理」開始，到「抉擇與負責」、「文學與人生」、「革命的歷史教訓」、「信仰與學問」，到「從歷史看人物」等系列，在二〇〇三年十一月那些個秋日午後，古樸的敏隆講堂座無虛席。參與的心是對今日世界和人生最關懷的心，在聽講與思索之際，更深植了生命的寬厚深思之心。

一九九一年（紀念）洪敏隆先生人文紀念講座，更結合了人間情義和靜惠的人文教育深入民間的理想。聽講者，晴雨無阻前來，是年齡思緒更成熟的聽眾，知識與智慧的授受，影響即不祇限於個人了。

接著更年輕的一代如楊照、葉言都講歷史；葉思芬、朱秋而講文學；傅佩榮、王邦雄講哲學；劉岠渭講音樂……

靜惠以歷史畢業生的理想，設置敏隆講堂發揮現代人文休憩站的功能。在這個紛亂，災難頻襲的時代，人們最需要強韌的內心力量，世界上許多基金會就以它們豐厚實力建立諮詢機構，開發文史深度講座、出版……幫助人們建立自心的安定力量，加強判斷的能力，社會亦更穩定。

因為石家興與簡宛（初惠）和我的師生緣，靜惠和我多年來緣分更深，五十年來我看到年輕的靜惠，為基金會的理想奮鬥全心投入的熱忱，將她的足跡清清楚楚印在那些計畫裡，她投入文化講座和活動深廣的影響，工作團隊的努力，都已深植在臺灣社會進展的歷史裡。

推薦序

見證五十年的成長過程

許倬雲
歷史學家

今年（二〇二一）是洪建全教育文化基金會成立五十週年，一個民間的非營利組織，鍥而不捨，堅持耕耘半世紀，確實得到了豐碩成果，絕對是值得紀念的好事情。我雖然人在海外，心是跟大家一起共同慶祝這個大好日子。

六十多年前，考上臺大歷史系的新生中，有三分之二至四分之三是女生，她們以第一志願入學，資質佳，成績也好。到了三、四年級時，這些女同學將面對未來的人生規畫，在事業與家庭之間，何所選擇？我當時在臺大任教，因此不免有些高班同學找我諮商。

那時臺大文學院長是沈剛伯先生，他有一句鼓勵女同學的名言：「搖動搖籃的手，也可能就是撼動世界的手。」沈院長無非要強調，為人母親有重大責任，也對世界有著巨大貢獻的可能。我在剛伯師名言的啟示下，常常於同學來詢問時，提出我的意見：從婚姻與家庭中，還可能有別的機緣，使能幹的女性，於「為人妻，為人母」之外，另闢一片天地，因此事業與家庭並不必然是互斥的。一個聰明人，無論男女，都可以找到夫妻合作奮鬥的方式，使得兩人的成就，不僅是相加的和數，還更可能是相乘的積數。

靜惠是臺大歷史系的畢業生，也曾為了事業、家庭之間的抉擇，與我對話過，究竟該何去何從？她的選擇終於印證了我的期望，她與敏隆組成家庭，有共同的事業，也生養教育了一對好兒好女。她第三個孩子是「洪建全基金會」，一轉眼，也邁入五十歲了！

靜惠受洪建全先生及洪游勉夫人的託付，主持洪建全教育文化基金會，殫精竭慮，為社會提供了許多旁人沒有想到的文化、人文與教育服務。幾十年來基金會不斷轉型，見證了臺灣社會的變化，在每一個不同的階段，洪建全基金會都能適時提出服務項目，也獲得了相稱的功績。

在一九七〇年代，洪建全基金會曾為廣大的讀者群，創辦《書評書目》雜誌，提供選擇讀物的資訊。當時各大報紙的副刊，限於報章的篇幅，一時還顧不到書刊評論。《書評書目》不但是讀者與出版業之間的橋梁，也為剛剛起步的文化建設，樹立了一定的標竿。這個意義，在當時還未必為人理解，今日回顧當年的情形，無論作者、出版者或讀者，都留下美好的回憶。

一九七五年，基金會致力於兒童的教育及音樂教育，推動兒童文學獎，還藉由洪氏企業提供了最佳的視聽器材，在中華路上一幢樓房中成立視聽圖書館。孩子們可以自己選擇喜愛的音樂與錄影帶。

臺灣的經濟，在一九八〇年代起飛，開始創業與展業者眾多。但是，臺灣的企業界還不熟悉現代企業的經營管理方式，靜惠的家族中，洪建全、洪敏隆都是企業中人，面對臺灣經濟結構的巨變，非常敏銳地察覺企業的現代化管理有其重要性。於是用心將文化注入企業，一度洪建全基金會將工作的重點放在介紹現代的企業管理，並向日本的松下幸之助取經，效法「松下政經塾」的模式，在臺灣成立「文經學苑」，培育有文化視野的企業人才。可惜敏隆英年早逝，靜惠轉悲慟為力量，逐漸從培訓企業管理人才的工作，逐步擴大為文化課程，致力於提倡人文素養及人文關懷。

因著與靜惠的師生之緣，我有幸參與基金會從「文經學苑」轉化為「敏隆講堂」的這段過程。在初創的敏隆講堂中，我講了不知多少場次的「從歷史看領導」、「從歷史看組織」、「從歷史看人物」，以及「從歷史看時代轉移」的系列演講。並常邀約當時回臺灣開會或研究的中研院院士，諸如李亦園、余英時、張灝等院士來講堂演講。敏隆講堂掀起臺灣社會的民間講學風氣，也激發一股人文學習的風潮。靜惠及洪家都很興奮支持，並逐步擴大為有系統地開辦文史哲藝課程，致力於提倡人文素養及文化關懷。這是為臺灣厚培文化土壤，盼望在經濟成長外，臺灣也能注意到人文精神能安頓人心，及關懷人生的終極意義。

回首半世紀以來，基金會的演變，正如一個「自然人」的成長過程，這一個「法人」的孩子，現在正在轉型傳給第三代的裕鈞、淑征。靜惠經營洪氏老少三代的關懷下的洪建全基金會，從孩童的快樂，一步一步帶向成人的深思。五十年了，當年的孩子們，包括裕鈞與我的孩子樂鵬已經長大，擔起應擔負的社會責任。裕鈞與他的妻子淑征也將擔起洪建全基金會這一個「法人」的傳承使命，繼長增富將不斷地成長，不斷地蛻變。

我有幸是洪建全基金會的長期友人，見證了五十年的成長過程。我滿懷喜樂祝賀洪建全基金會五十週年，我也要告訴靜惠：「欣幸妳做了最好的抉擇！」

基金會五十歲　我八十歲

簡靜惠

經營洪建全基金會五十年，感覺不過就是一眨眼的工夫。我從三十歲起開始投入經營，怎麼自己也邁入耄耋之年了！

一九六九年從美國學成歸國，進入洪家的事業經營，我的學思背景及對社會的關懷，促成洪建全基金會的創立。從此我開始跨足在企業界與文化界之間，過起忙碌豐富又快樂的人生，真是感恩！

五十年來基金會的行事，大都是以文化引導的觀念，播下文化與教育的種籽。階段性的目標任務也都在一一達成後再轉化提升。在當時的臺灣開風氣之先，也為洪家創造以「文化」傳家的形象！

每一次的轉化提升，多年後看來都是在「必要的情況」下發生，每一個過程卻都是充滿期盼興奮，有時也是痛苦的抉擇……

在成書的過程中，於今年（二〇二一）特別安排在基金會發展中不同階段相遇的朋友一起談談，於是有四場「對談」，讓我能從不同的角度，回望我與基金會的發展，真是意義非凡。

第一位相約對談的是楊照。他在國小五、六年級就讀了《書評書目》。向來博聞強記的他，至今還記得《書評書目》的劃撥帳號是：一九二七四，我聽到他不假思索地說出，真是感動莫名！這份深刻的感情，促成今天的《書評書目》於他所主持的新匯流基金會線上版再現。而全套一百期的《書評書目》也以數位化的方式重現在聯合知識庫的整合性文學報刊平台——臺灣文學知識庫上線。

楊照在敏隆講堂的歷史課已經十五年，有助於我們分析理解現實，看清楚現實的種種糾結，進而對於未來變化能夠有所掌握，做出智慧、準確的決定。這也是敏隆講堂的價值，保留了不同時代的經驗與情感。

暮春三月，我約了黃春明與林懷民到淡水雲門劇場對談，也順便春遊。

春明憶起當年他與妻子從宜蘭到臺北闖蕩，在明星咖啡館寫作時，不時會散步到位於博愛路上的書評書目出版社辦公室。這是出版社初創時，蝸居在國際電化公司的三樓小空間。黃春明只要一來，大家都會停下手邊的工作，圍坐著來聽這位「大哥」

口沫橫飛地講故事，包括洪老先生及洪家兄弟都是他的粉絲。我記得，黃春明當時說了白梅的故事，後來發展成小說《看海的日子》，我們是聽第一版故事的幸運兒，五十年了，黃春明的故事依然百聽不厭……

在雲門戶外露台的大樹下與林懷民對談。想起一九七四年，我們並不相識，年輕的他帶著雲門的海報來找我，希望能用臺灣作曲家的音樂來編舞，請基金會能贊助本土原創音樂。原本洪建全先生及當時一般人對於打赤腳在舞臺上表演的現代舞並不了解，但是當我提出這是支持臺灣的音樂家創作樂曲給臺灣編舞家跳現代舞的贊助計畫時，洪老先生及洪家兄弟大為讚賞，因而開創基金會贊助的新思維，突破傳統保守的社福救濟觀念。這種在有限贊助下，達到播下文化種籽的目的，成為洪建全基金會經營的特色。

六月底，和詹宏志的對談更是點出我經營洪建全基金會的時代意義及價值。我從基金會創立時就體認到非營利組織的特質及功能，一九七〇年後，步步為營地塑造自己是背後推手及經營者的功能。詹宏志形容基金會的工作有如編輯一般，右手邊是有知識有情懷的作家和藝術家，左手邊是渴求知識與啟發的社會大眾，編輯是鋪設道路讓兩者接觸的角色。這麼多年了，我確實擔任著橋梁的角色，也算是一位編輯人。詹宏志說他是「醒著做夢的人」，而我是醒著「聽人說夢想的人」，找機會讓更多人去尋夢，有時候也幫助他人夢想成真……

齊邦媛教授已九十八高齡，住在養生村，每天與書為伍，偶爾寫寫文章，自得其樂；睡不著的時候，竟以背詩助眠。能請老師寫序是我的最大榮幸，老師永遠是我們的榜樣。

許倬雲院士是我的恩師，也是我們全家的朋友、老師，他為基金會寫的文章、講的課程非常的寶貴。基金會的發展得到許老師很多的指導建言，真是由衷感激許老師一路教導栽培。

謝謝須文蔚、曾文娟二位小友，多年來陪我回顧人生，記錄下我的八十歲與基金會的五十歲。

一路走來得到太多人的幫助提攜，由衷感謝與珍惜，謝謝我的父母、公婆、子女、家人、同事，以及朋友。

我有一幅收藏了二十年的書法字：「自在的種子」（請見下頁），是我「七加一姐妹」陳怡靜賀我還曆的賀詞，很符合我的人生現況，自在播種也自在收成，無限感恩。

自在的種子

第1章

打造「國際牌」的
創業家洪建全

認真堅毅的創業家

我的公公洪建全先生出身貧寒，是礦工之子。漳和公學校（中和國小前身）畢業後，家中無力供他繼續升學，十四歲就出來闖天下賺錢。剛開始在榮町（今衡陽路）的書店「文明堂」當學徒，負責販售書、唱片與留聲機。

天資聰穎的洪建全先生，在工作之餘，無師自通，學會了修理收音機，熟悉電器基礎知識，同時練就一口流利的日語。一九三七年，日本侵華戰爭爆發，收音機成為獲得新聞的利器，供不應求。洪建全先生掌握商機，在萬華以修理收音機為業，當時真空管收音機體積很大，曾聽我的小叔敏弘描述：公公創業之初，修好的收音機得親自送回客人家，他瘦弱的身軀，賣力踩踏腳踏車，後座的收音機幾乎擋住了身影。

洪建全先生與游勉女士結婚後，在新富町（今萬華）開設「太陽堂」唱片行，接著成立「南邦電器行」，進口日本真空管與收音機零件，供應全省各地電器行，也做收音機必用的纏線圈生意。

夫妻倆勤儉踏實、認真努力，在日據時代，就已靠著修理及販賣收音機，闖出一片天地。零件批發全島各地，累積了經驗與資金。公公曾對我說過，當年搭乘夜車，南北奔波，發貨收款；婆婆坐鎮店面，同時照顧家中祖母、小姑，以及嗷嗷待哺的兒女。夫妻一起創業，充滿拚勁，一點都不覺得累。

臺灣光復後，一九四六年，洪建全先生便在衡陽路置產，創立「建隆行」，從經營個人商店轉成貿易商行。此時他已認識到，經歷二次世界大戰，中國各地及臺灣都積極重建，需要大量進口物資，特別是電器用品與零件，更為炙手可熱。於是建隆行的生意從臺灣島跨出步伐，邁向香港、上海、南京、廣州等地，行銷電器產品、電子零件等。洪建全先生冒險犯難、不畏艱辛、認真堅毅的創業家精神，真是令人讚歎！

我的公公婆婆婚姻相當先進，也很美滿幸福。婆婆是童養媳，僅有小學學歷，卻勤勞好學、深明事理，我從她身上學習到的人生智慧，時常映照在我的言語行為之中〔注〕。

我嫁進洪家四代同堂的大家庭，從未聽婆婆抱怨過生活忙碌辛苦，永遠笑咪咪地和氣待人。既使家中兄弟間意見相左，也從沒說過重話，僅偶爾喟歎：「你爸爸若是公務員就好了，家裡會清靜許多！」就算公事、家事紛擾之時，婆婆永遠都緘默無語，無時無刻展現她的堅忍與包容。

以「國際牌」為商標，見證洪家事業崛起

一九六四年，國際牌與National商標的龐大立方型紅色霓虹燈塔，開始豎立在西門町中華商場屋頂，成為縱貫鐵路進出臺北城區的「燈塔」地標，也是臺灣人民對於現代文明的想望，都會生活的共同記憶，更見證了洪家事業的奮然崛起。

當時日本工業走在臺灣之前，洪建全先生一向樂於學習，對於提升產品品質更是絲毫不敢鬆懈。日本產業，無論產品或經營理念，向來都比臺灣精良進步，一九五六年，洪建全先生與日本松下電器會長松下幸之助先生簽訂技術合作協定，由日方派員來臺技術指導，他也派技術人員赴日學習。這在當時是一大創舉，也是他的遠見，不但開創了家電事業版圖，更以「產業報國」的理念，催生臺灣電器化社會的來臨！

新北市的中和員山路「臺灣松下電器公司」的正門中庭，特別懸掛著一張松下幸之助先生與洪建全先生親切握手的照片，用以紀念臺日產業合作的歷史時刻。

在臺灣大學管理學院十樓的「洪建全先生紀念廳」，是第三代長孫媳張淑征建築師設計的空間，以洪建全先生的肖像及其事業與志業代表的地標：國際牌霓虹燈塔照亮的街景和洪建全基金會原址結合的圖像融入在空間中，以橡木實木支柱構成的嵌入式

1946年，臺灣光復後的第二年，洪建全在衡陽路43號，創立「建隆行」，從經營個人商店轉成貿易商行。生意更從臺灣島跨出步伐，邁向香港、上海、南京、廣州等地，行銷電器產品、電子零件等。(臺灣松下電器提供)

壁畫，透過橡木虛實律動與光影變化，彷彿聲波流動紋理，既懷念洪建全先生以修理收音機起家，同時也呈現他踏實創業的經營成就。

「臺灣松下」自製與創新，是臺灣第一家電視機製造廠商

一九六二年，五十歲的臺灣國際牌創辦人洪建全，與六十九歲的日本松下創辦人松下幸之助，決定合組「臺灣松下」，成為中日家電企業合資的先鋒，也為臺灣電器產業吸收外資創造輝煌的歷史紀錄。不僅如此，臺灣松下在管理方面，綜合日本松下經營之長，結合臺灣人勤奮打拚的優良傳統，成立兩年後，便有產品可供外銷，更是臺灣企業的先河。

我和敏隆於一九六七年在美國結婚，公公非常歡喜。向來更看重家族傳承的洪建全先生，在臺北宴請親友時，公開宣布將所收賀儀十二萬元，全數捐贈孤兒院及辦理獎學金。那是公公最意氣風發的年代，臺灣松下不僅重視自身企業成長，也全力扶植協力廠商，從開創時期僅僅十六家，一路攀升到了一九七〇年代，倍增十餘倍，接近三百家。公公曾告訴我，這些協力廠商與臺灣松下唇齒相依，公司每年舉辦一次懇談

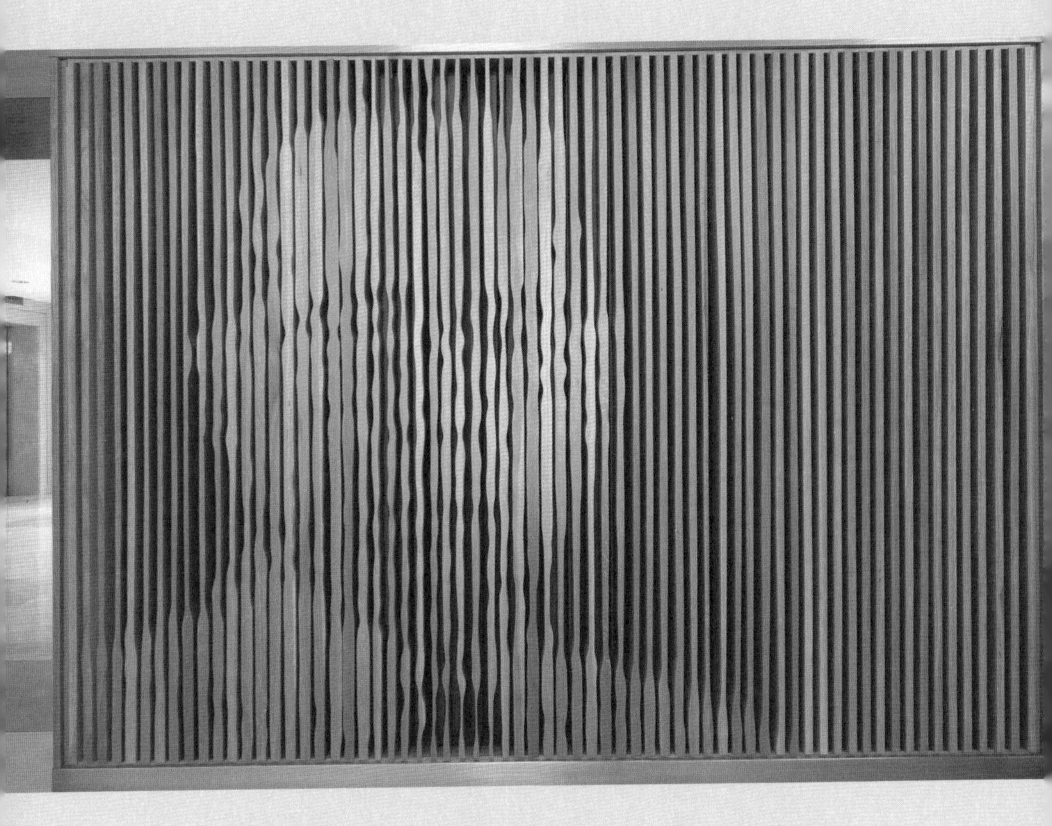

第三代長孫媳張淑征設計的「臺大洪建全先生紀念廳」，是以洪建全先生的肖像及其事業與志業代表的地標：國際牌霓虹燈塔照亮的街景和洪建全基金會原址結合的圖像融入在空間中，以橡木實木支柱構成的嵌入式壁畫，透過橡木虛實律動與光影變化，彷彿聲波流動紋理，既懷念洪建全先生以修理收音機起家，同時也呈現他踏實創業的經營成就。

會，用以促進雙方的理解與共同發展，為了提升協力廠商的生產品質，臺灣松下總是儘量提供技術協助，絕不藏私，更不刁難人！

滿懷愛國情懷的洪建全先生始終關心臺灣工業發展，格外重視臺灣電器產業「設計人才」的培育。從一九七〇年代開始，他就一直希望臺灣松下能夠自己設計產品，不再依靠日本。當臺灣松下開始自行設計收音機後，他便熱情期待各項電器都能自製與創新型式，那是他立志獻身電器產業的最大願望。

臺灣松下於一九六三年開始生產十六吋真空管電視機，成為臺灣第一家電視機製造廠商；一九六九年推出「金龍電視機」，以響亮的命名回應金龍少棒隊揚威海外，透過衛星電視轉播，金龍電視機伴隨無數國人徹夜不眠，度過「舉國瘋少棒」的黃金時代。這也正是洪家事業奔騰起飛之際。

就在這一年（一九六九年），我由美國返回臺灣，進入洪家的大家庭，住進「國際電化大樓」。讓我最感到衝擊的是，公公堅持「文科媳婦」得管帳，還要負責淡水招待所的採購及監工事務，一下子開啟了我忙碌、斜槓與燦爛的歲月。

注 詳見《寬勉人生——國際牌阿嬤給我的十堂課》一書，簡靜惠著，遠流出版。

第2章

文科媳婦
進入家族企業與大家庭

在家族企業擔任財務經理

一九六九年一月，長子裕鈞在美國洛杉磯出生，公公婆婆欣喜萬分，一再催促我們趕快返臺。當時，我剛修完洛杉磯羅耀拉大學（Loyola University）教育研究所碩士學分，等不及五月畢業典禮，禁不住兩老「抱孫心切」的想望，匆匆抱著出生不到三個月的兒子搭機回國，一頭栽進洪家四代同堂的大家庭。

敏隆以長子身分，馬不停蹄，一回國就投入國際電化商品公司的工作，成為洪家事業重心所望，置身第一線與經銷商互動，讓業績日益增長。敏隆身先士卒，全力以赴，不但引進嶄新企管觀念，更積極學習日本經驗，塑造兼具人文、商業的企業文化，為當時企業產銷與經營理念尚在起步的臺灣企業，注入一股新氣象。

回國不及三個月，公公便召見，對我曉以大義：「你必須進入公司，幫助你的丈夫才行！」我大學讀歷史，赴美後取得教育碩士學位，平日喜愛閱讀小說，對商業經營絲毫不感興趣，加上當時滿心都在育兒和持家，聽到這話，當下臉上不自禁顯露出抗拒與不情願。

誰知不等我出聲回話，公公十分堅定地強調：「夫妻共業，這是洪家的家傳信條，

1969年1月，洪家長孫洪裕鈞在美國洛杉磯出生，爺爺奶奶欣喜萬分，一再催促我們夫妻趕快返臺。禁不住兩老「抱孫心切」的想望，簡靜惠匆匆抱著出生不到三個月的兒子搭機回國，一頭栽進洪家四代同堂的大家庭。

你婆婆早年幫助我創業，我才有今天的局面。你也必須如此。這不是商量，這是命令！」父命難違，我只好進入家族企業，擔任國際電化公司財務經理，從頭開始學習管理帳目、解讀會計報表，進而編製公司年度財務收支計畫。我自認商學知識有限，經驗更嫌不夠，只得從做中學，並不恥下問，求助專業與助手，一點一滴認識財務經營，過程格外辛苦。

為淡水招待所採購及監工

公司業務我不熟悉，財務報表也還在摸索學習，敏隆每天忙著拜訪客戶，早出晚歸，馬不停蹄。此時，另一項挑戰隨之而來。或許我的認真表現還可以，受到公公的器重與信任，竟要我進駐興建中的洪家宅第「淡水招待所」，擔任採購及監工！

說起淡水紅樹林的這塊地有個故事，我的公婆愛打高爾夫球，常去老淡水高爾夫球場打球。對淡水很有好感，經常有中介在引他看地。有一天經過淡水八勢里附近紅樹林地段，那還是一片水田夾雜著沼澤泥地，只見幾隻水牛圍到公公的身邊打轉，驅之不去，也無惡意。公公大為驚奇，認為有緣，就買下來，一心要建造為洪家宅第，兼作為公司的招待所。

有過先前的經驗，我知道公公一旦心意已決，就沒有討價還價的空間。於是我每天上午先在博愛路公司裡看帳目、開會，中午過後，又得趕去大興土木中的淡水新居監工，管理統籌相關物料的採購事項。從財務到營造，沒有一樣是我在行熟悉的，很是痛苦！

淡水招待所是一九六八至一九七〇年間，公公購地建造的宅院，也是他老人家為家人籌設安居的所在。一直到現在我都還記得，第一次前往淡水紅樹林旁的建地，站在一大片磚瓦石材、鋼筋水泥、花草石頭紛然雜陳的工地，面對一大群泥水匠、木工、花匠時，我簡直呆若木雞，內心充滿焦慮緊張，不知所措。

進入到工地，裡裡外外接觸的人，分別提出五花八門的問題，每一個都需要我當下立刻決定回覆：舉凡增加預算、大門口大理石發包、木工完工驗收、花匠提出的設計圖等等，應接不暇，讓人頭大。每一項決定，無不關乎工程進度，我也只好硬著頭皮，一一梳理，詢問、理解、討論與請示，一有眉目，儘快予以判斷，做好決策。

公公非常重視淡水招待所的工程品質，求好心切，縱使預算不停追加也在所不惜。工程過程裡，鋼筋水泥價格不斷上漲，負責管控成本的我，面對建築師的要求、財務部門的追問，可說是左右為難。加上門牆及樓面大理石，究竟該挑用進口的花崗石還是花蓮大理石？個中選擇的困擾，不僅僅是美感與品質的要求，還夾雜有親戚關係的說項，更讓我這個剛進入洪家大家庭的新媳婦，真不知該如何是好?!

大家庭的磨練讓人更通達人情世故

當時供應大理石廠商之一，是大伯家的女婿，他把洪家老祖母請出來，為他說項。然而，經過建築師、現場施工人員的實地評估，其品質與價格並不是最合適的，這讓我陷入困擾且為難的窘境。記得那些天裡，進出家門與公司，我所看到的臉色都怪怪的，尤其老祖母跟幾位姑姑，更是擺著臭臉，也不直接跟我說話，一逕指桑罵槐。家裡氣氛非常不對勁，讓我身心俱疲，幾乎要崩潰了。

幸好公婆都是明理體貼的人，決定在淡水招待所工地多聘請一位監工，協助工程進展，他是我的外公俞石獅先生，這讓我宛如吞了一顆定心丸。

外公當時六十多歲，人格高尚，閱歷豐富，他是臺北工業學校（臺北工專前身）畢業生，更有經營礦坑的豐富經驗。有他坐陣，建築營造專業問題一一化解，主體結構工程安頓穩妥，更規畫庭院設計、花草樹木種類，陸續栽植榕樹、南洋杉、大王椰、玉蘭、含笑、杜鵑等。至於人情世故，當然還得由我自己一一面對，最大關鍵依然是大廳外牆大理石材。

為了讓家族和諧，我必須在大方向上調整，採用大伯女婿所提供的建材。幾經折衝測試，確認可以達到要求的品質，至於價格，則給予較大的通融。經過這些妥協，家裡氣氛果然轉趨緩和，老祖母和一班親戚們也不再給我臉色看了。

經歷淡水招待所的營造與監工，我漸漸適應大家庭生活，也學到珍貴的一課：凡事察言觀色，任何決定，必得三思；任何想法或提案，自己必須先想清楚，有了周全的規畫，再伺機提出，這樣更有成功的可能。我深知尊重長輩，體會他們的心情，這也是禮數的一部分，理應遵從。

換個角度來說，大家庭的磨練讓人更加通達人情世故，不僅學會平衡價值之間的矛盾，也能拿捏輕重緩急所在，最終找到與自己價值相符合，且可以落實的方案，這些無一不是人生永遠需要學習的功課。

善用「女力」的大家長

一九七〇年代的臺灣，政府獎勵投資政策，讓民間企業整個興旺起來。洪家與日本合資的電器事業非常成功，在我的觀察中，公公的經營管理策略，善用「女力」是一大關鍵。

他不僅對傳統「女子無才便是德」的說法不以為然，更沒有「富家媳婦不得拋頭露面」的陋見。我一進入洪家，他便要求我進入企業，協助敏隆。在那個「來來來，來臺大；去去去，去美國」的年代，留學美國而肯回來臺灣的人並不多見。洪家父母卻要求留美的老大、老二夫婦，拿到學位，結婚生子之後，都必需回臺灣承接家業。

當時的我，頂著「臺灣大學歷史系」畢業的光環，又是留美碩士，在洪家企業擔任財務經理，受到公婆十足信任疼愛，外人看來或許欣羨，我卻不覺得有什麼好命，一直陷入女性意識的掙扎：到底該聽從公公的教誨「從夫」？還是順著自身專長「從業」呢？

我的興趣與志願在「教育」，一心一意想回到學校教書，或進入教育體系，投身建構輔導教育系統。就讀臺灣大學歷史系時，大四那年，我曾有個難得的機緣，得以進到建國中學代課。那是一段充滿光彩，我卻不常提起的過往，當時實在太年輕，學養、經驗都不足，教得真是有點心虛。

值得讓人驕傲的是，當年班上學生，後來都成為知名學者、藝術家、企業家，乃至政治人物，深刻影響臺灣發展。但也因為「學然後知不足，教然後知困」，在那段教書的生涯中，我深深感到自身的侷限之所在，心中更渴望從事教育工作，彷彿有一把火在燃燒。於是我開始認真學英文、報名留學考試、申請學校，更決定由歷史轉讀教育，專修輔導。留學考試通過後，選擇進入洛杉磯的羅耀拉大學，就讀於教育研究所。

羅耀拉大學是由天主教耶穌會所創辦的高等學校，研究所男女兼收（當年大學部卻只收男生），我們班上因此有很多修士、修女等神職人員，學習氣氛平和親善，讓人獲得很多不一樣的學習體驗。我在羅耀拉大學第一次接觸到天主教會宗教社會實踐傳統，進而深刻體會天主教積極入世的服務精神。我念的是教育研究所，更要明白教育乃百年大業。以非營利及奉獻的精神，則更要深入且從長計議，不必求近功及表現。只有理性規畫種種實踐面向，才能讓理想更持久，也讓夢想與現實對應得更加融洽。

我一向專心認真學習，過程順利，不到兩年時間，便取得碩士學位。

回到臺灣的那些年，適逢「九年國教」上路不久，各級國、高中，非常需要教育輔導人才，許多工作機會都是我一心渴望，求之不得的。然而洪家事業蒸蒸日上，同樣需要我的加入，我只好先擱下對於教育文化的熱切渴望，挺身接受家族企業所賦予的各項任務。

五十年匆匆而過，很多老同學、同事都問過我：「妳一個學教育的女子，掌管財務，還要蓋房子，難道一點都不怕？」

「當然怕呀！」

回顧這一段充滿驚慌恐懼的經歷，正是我人生磨練膽量，開發志向的開始。日後我之所以能為洪家開展文化事業，完全建立在公公洪建全先生的信任基礎之上，而我也能無畏挑戰，勇於承擔，是美好的青春歲月。

我是洪建全基金會執行長，為洪家開展文化事業，完全建立在公公的信任基礎之上，讓我能無畏挑戰，勇於承擔，是美好的青春歲月。圖為簡靜惠與兩家父母合影，左為洪建全與洪游勉，右為簡銅鐘與簡俞燕。

第3章

把文化理念
加入洪家事業版圖

善盡社會責任的企業家

洪建全先生自一九五九年起加入臺北西區扶輪社，便積極投入社務，重視社會服務，響應冬令救濟、熱心公益，透過國際交流，不斷提升視野。「企業的存在意義已經不是為自己賺多少錢，而是能替他人做多少事。」當家族企業拓展頗具規模之後，這是公公經常掛在嘴邊的金玉良言。他還曾說過：「我們經營企業的人，應該以社會整體利益為前提。為了達到這個目標，應該把取之於社會的收益用來造福社會，這樣才算真正盡到企業對社會的責任。否則，就算是營業額每年倍增賺大錢，對國家社會又有什麼好處呢？」

洪建全先生為了要盡到企業對社會的責任，在中華民國退出聯合國的一九七一年，宣布成立「洪建全教育文化基金會」。當時臺灣整體氣氛極盡低迷，不論政治、經濟、文化、社會各方面都充滿風雨飄搖之感，許多人都在安排退路，或者乾脆移民、設法將資金移往海外。然而公公對臺灣非常有信心，從不考慮出走，反倒加倍落實他對臺灣這塊土地的感情與善念，成立基金會正是實踐的開端。

洪建全先生期望每年由他經營的企業及個人收入撥出錢來，委請專家管理，辦理公益事業。依照政府規定，企業每年可撥出部分盈餘，捐贈非營利機構，可應用於獎助清寒學生，捐助孤兒院、育幼院、救災濟貧等等。

一九七一年十一月一日，成立洪建全教育文化基金會，正是臺灣社會最需要的時候，真可謂「天時地利人和」皆備的良機。參照美國「洛克菲勒基金會」（Rockefeller Foundation）的理想與目標，洪建全先生特別強調：「財團法人意指這是屬於社會大眾的，也就是說將來基金會萬一解散了，所有財產都將歸之於社會大眾。」

客廳裡兩代的公益話題

基金會的成立背景，說來也和我，以及洪家兄弟都有機會接受高等教育，留學美國後陸續返臺，有著密切關係。

當時，公公經常在下班之後，坐在沙發上與我們聊天討論，昔日他參與慈善事業，多半屬於被動式的勸學行善，隨著孩子成長歸來，他萌生了更積極主動的想法。

我經常講述美國求學的事給他聽：在羅耀拉大學讀書時，系主任、導師、同學等，大都是奉獻一生給社會的修士、神父或修女，他們行善的志業務實而多元，讓人大開眼界。同時，由於我主修教育，對諮商輔導與社工等等，充滿好奇，這些課程內容引導我認識並進入非營利組織領域。

我的小叔洪敏弘在美國密西根州立大學攻讀博士時，也曾接觸「福特基金會」所支持的「福特博物館」，對於企業透過基金會從事國際救助工作，留下深刻印象。回國之後，曾多次與公公討論基金會的概念，介紹美國非營利組織文化與歷史發展。「設立基金會」於是成為家族的共同話題，大家都期望能創建一個更有系統、持續、主動、積極的機制，來取代零星、即興的行善方式。

一九六〇年代，臺灣非營利組織大多是外來的社會服務，諸如紅十字會、基督教兒童福利基金會等。這些團體慢慢在地化之後，大型企業也逐漸重視社會責任，其中最為著稱的莫過於「嘉新兆福文化基金會」，這是由嘉新水泥公司創辦人張敏鈺董事長所一手建立，早在一九六〇年春便先頒發「嘉新水泥獎學金」，獎勵軍公教及清寒學生，後來陸續擴展獎勵各種文化事業，一直發展到今天。

為了推動基金會的創辦，我考察了臺灣非營利組織的先進，觀察他們的優點，發現各個基金會都缺乏專人經營、主動企畫與發展特殊服務項目等現象。我抓住每個難得的「親子時間」，向公公「觀念行銷」公益事業發展的新趨勢。

一九七一年，淡水的房子剛落成，洪家的事業如日中天，公公意氣風發，我雖得洪家翁姑寵愛信任，但我志不在企業，也自知非財務經營人才。我的公公很能理解，我的專業是諮商輔導，曾商請當時臺大心理系的創系主任蘇薌雨先生安排我到臺大心理輔導中心擔任志工，每週去一個下午。當時臺灣的輔導諮商觀念才剛起步，諮商中心門可羅雀，但是我還是喜孜孜地前往做義工，風雨無阻，終因家務公務太忙而停止。

心心念念在文化教育

很多人都知道，財富的根源在土地。臺灣地少人多，百業興旺。無論企業家設廠興業，一般的老百姓，乃至女性擁有私房錢多半都會買地蓋房或投資。朋友卻愛笑我：「靜惠就是不懂投資，早些年若肯買土地，現在早就大發了！」

對此，我總是笑而不答。其實，早在一九七〇年代末期，我也看過不少不動產。許多朋友也常推薦各種買土地與投資機會，我卻一一過耳即忘。當時有位臺大老同學是臺灣望族，他在內湖有一大片土地要賣，問我意願？我也不是錢不夠，就是興趣不大。如今想來，也幸好我對土地財富沒多少興趣，不曾踏入這個領域，否則生活、生命可能就很不一樣了。

我的性格單純，其實也就是愛讀書、看閒書而已，不曾自許要成為作家，可以自由自在悠遊冊頁之間就好了。教育、文化與藝術我喜歡，我就積極投入；土地與投資，自認能力不到，做不來就不太愛碰，這或許是我天生性格率真、單純吧！

所以，買土地置產就不必了，該有的我都有了，我還是專心做好我的財務經理，守住「洪家大媳婦」的本分，行有餘力，等待時機成熟。

所以，當公公提到：「要成立財團法人非營利的教育文化基金會……」

我一聽，大為興奮立刻說：「我來、我來……」

他點點頭，囑咐我：「妳還是得掌管公司財務，基金會的事一定要聘請專人來經營才行。」

於是洪建全先生打造了一個有祕書、財務與企畫專人的文教基金會，讓每一分投注公益的經費，都能成就五倍、十倍以上的效能。

那是一九七一年，我知道，是把「文化」的理念加入洪家事業版圖的時刻到來了！

當公公洪建全提到：「要成立財團法人非營利的教育文化基金會……」
我大為興奮立刻說：「我來、我來……」
於是，陸續將文化帶入洪家事業的版圖。
圖為視聽圖書館開幕，簡靜惠與公公婆婆共享開幕的喜悅。

—— 第 4 章 ——

走在正直的人生道路上

構思基金會方向時，從小熱愛閱讀的我，十分期待企業能更支持臺灣的教育、文化、藝術與文學。我為這塊土地播種的種種夢想，也因從小與父親親近、喜愛文學，不斷鼓勵我多讀書、多看電影有很大的關係。

被經商耽誤的藝術家

簡家世代經商，在臺北中和地區也算是有名望的家族。我常想，我的父親簡銅鐘如果不是生在商販之家，他應該會是一位文學家或藝術家吧！

一九五〇年代，我剛上小學不久，當時猶然還是農村的中和鄉，簡家在最熱鬧的枋寮街上開設「興美商店」與「廣美製麵廠」。我的父親坐鎮總指揮，打點雜貨店和工廠批發與送貨。我的母親則要兼顧內外，把工廠跟家裡的事都做好，非常忙碌，她除了照看子女，還得在雙樓層的店裡忙進忙出，負責店面內一切工作。因為成長在這樣的家庭，我每天都要勞動工作，自然就養成勤勞努力的生活習慣。

父親規定每個人都要幫忙家務、店務，女孩子要記帳招呼客人，男孩子要跟著貨車分送銷售。製麵廠趕工時，所有人都要一起幫忙包裝，那是全家人一起忙碌、工作、揮汗的勞動記憶。回想起來非常甜蜜。趕工收夜班時，母親會煮一大鍋麵條當宵夜，白麵條加黑醋，真是人間美味，至今仍是我們簡家人的最愛！

媽媽最忙，她總是張羅各項事務，爸爸也是，但不一定是在忙，他會坐在那裡「指揮」，所以媽媽常用臺語說爸爸很會「拍算」（打算，預先計畫），都是她在執行。媽媽坐鎮櫃檯，連睡個午覺都抽不出時間。爸爸必須去跟廠商、客戶接洽，把貨物批進來。貨物送進店鋪，媽媽就得去打點工人，如何存放，怎樣派送出去。

媽媽完全沒有餘力下廚，因此家中還有一位照顧全家起居飲食的嬸婆，然而她喜怒不定，且偏愛長得比較可愛的大姊和小弟，造成家裡某種矛盾、不安。我小時候長得不好看又愛哭，不得嬸婆歡心。生活種種都是嬸婆打理，幸好母親對子女的愛很公平，沒有區別心，因此我們的成長過程都是大的帶小的很和樂。大姊雖得寵卻不驕，很疼愛弟妹。我排行老二不得寵，卻是最會讀書也最會帶弟妹閱讀和玩耍。

父親不捨抱回家的愛哭鬼

我是家中次女，舊時風氣如生下第二個女兒，母親身體虛弱無法哺乳時，就要送給別人當養女，長大了與養兄「送作堆」當媳婦，這種「童養媳」民俗，實在是非常落後。

我的婆婆與我的母親當年都是如此的命運。媽媽從小就被送走，並不是家境不好，純然就是「易女而養」。我一度也被送給老家街尾的某戶人家當養女，幸好我愛哭，我的哭嚎聲讓父親格外不捨，及時喊停：「抱回來吧！又不是養不起！」

這是小時候我們家常常提起的一段故事。縱使被抱了回來，我依然哭鬧不已，那股不安或許在幼小的心靈裡已產生陰影。沒多久，我的大弟邦彥出生，夾在中間的我，更加不受重視。聽我的姑姑們及家中長輩說：「妳小時候呀，一頭捲髮很可愛，但是好愛哭哦！」

真的，我小時候的照片，都是頂著一頭捲毛，哭喪著臉，真醜啊！

讓孩子悠遊在故事裡

我的父親有藝術家氣息，經商做生意是祖傳家業，誠非得已。父親愛小孩的方式也如藝術家般隨機隨性。我們七個兄弟姊妹每談起父親的愛，總是各有說詞，姊妹們

母親與七個孩子。

對父親都各有一套說法，最後卻都會一致同意：「爸爸最愛二姊了！」

我則很驕傲回答：「那是因為我最乖、最會念書！」長大之後，慢慢體會到了，應當是我好學敢問，和父親擁有很多共同話題的緣故。

我的父親明理，母親公平愛護每一個孩子，兄弟姊妹雖常爭吵，感情卻非常融洽，大的帶小的，慢慢長大成人。我們也都養成愛看書、愛看電影和看戲的習慣，這是一輩子的財富，也是我們人格中的基柱。

臺灣升學主義盛行的年代，小孩讀課外書通常是禁忌，父親卻顯得十分新潮，允許且鼓勵我百無禁忌去閱讀。父親自己也很愛看書，他的床頭前有張藤椅，上面滿滿就是一堆書，我還記得有中文的《東周列國志》、《三國演義》，和日文雜誌報紙。當時被視為禁忌毒草的雜誌《自由中國》也在其中，最吸引我的還是章回小說！

父親興致來時，會講故事給我們聽，還常說些幽默風趣卻很無厘頭的笑話，這或許就是他的潛在敘事風格。我深深覺得父親很有文采，還富含藝術氣息，只因為是獨子，必須擔起家業而給耽誤了。

小時候我們從不缺零用錢，在家幫忙做家務、記帳都有少許工資，且被允許自由支配使用。父親訓練我們要有金錢觀念；長大一點幫忙家中生意記帳，更需學習記錄進出帳目，了解生計狀況。我一旦有了足夠的零用錢，就跑到租書店長期包月看書，我尤其愛看小說，一整個沉浸其中。遊走小說世界裡，人生美妙有趣極了；一邊看小說，一邊讀課本，有時還同時讀著兩部小說。

村上春樹曾提過，讀小說的樂趣，乃是可以進入別人不同的人生，悠遊旁觀他人的生活世界，陪他喜怒哀樂，卻不用負責任。我自少年時就能進出不同的故事情節，每天都感覺很豐足、很美好！

一九四〇、五〇年代，簡家在中和同時經營著兩家戲院，經常演出歌仔戲、新劇（即舞臺劇）、電影等。我們家姊妹兄弟就這樣在戲棚下轉來轉去，大弟與我最迷戀歌仔戲，差點「包袱款款」跟著戲班離家出走了。

後來又迷上看電影。我在北二女（中山女高前身）讀書的時候，每天下課了，我會留校讀書，把作業完成，一直讀到六點多，才搭公車回家，很快吃過晚飯，接下來就去看八點或九點的電影。假日裡，帶著妹妹們，坐在自家開的枋寮戲院裡，經常連看三、四場，狂熱極了！大學聯考竟然還能考上臺大，我的成績是中等，並不被看好，但我讀書很專心，抓得住重點，考運也好，考上臺大，全家人都很有面子。

難忘和父親的對話

一直到現在，我的眼前仍經常浮現父親床前那張堆疊書報的藤椅，有時是夏日午後、有時是夜晚睡覺前。父親午睡剛醒，或睡前正低頭看報，我輕輕走近他，與父親對話。

我站在父親的床前絮叨述說關於學校、郊遊、姊姊弟妹、媽媽、嬸婆種種瑣事及委屈或趣事。父親邊看報邊傾耳聽著，偶爾回應一二句，偶爾也會放下報紙，抬頭為我講些做人做事的小原則。記得他最常說：「妳只要認真讀書，把書讀好就好了！」我聽進去了，一輩子受用。

父親也說：「做事前要先想一想次序，要會安排次序。」也常說：「一粒米、一滴水都要珍惜，做每一件事都要有始有終！」這些為人處世的道理，都牢牢印記在我腦中，成為一生奉行的座右銘。對父親的這種孺慕之情，形塑成一股正向積極的內在自我推動力，對我日後的人生產生極大的幫助。

父親要求孩子都得參與、協助商店和製麵廠的工作，我們兄弟姊妹從小就會包裝麵條，外出送貨，稍長也能幫忙記帳。在家中跟著父母，學習他們與員工相處的態

三代同堂的簡家全家福。

度，兩位總是待工人如家人，有時我甚至覺得他們重視工人更勝過自己孩子。如今回想起來，簡家兄弟姊妹從小參與生活與生計，尊重每一個人與工作，這真是非常難得的生活經驗。

父親以一種自在自如的方式過日子，他是我的典範。婚後我進入一個大家庭，之所以能知所進退，得到公公婆婆的賞識，全都要歸功於從小與父親特別親近，早早養成不畏權威，勇於表達自己看法的態度。

我與父親之間有默契，像是我小小心靈裡的一座「靠山」：只要努力認真，讀書求上進！父親更是在人前人後袒護我，建立我的自信心，這是我一生最珍貴的禮物。那年幸運考上臺灣大學，爸爸真是無比高興呀！竟就在中和枋寮街上大放起鞭炮，宛如古代「高中狀元」般昭告天下，廣為周知，我就是在他這樣稱讚與鼓勵下成長的。

美國前第一夫人蜜雪兒（Michelle Obama）的傳記《成為這樣的我：蜜雪兒．歐巴馬》（*Becoming*），裡面有一句名言：「學習，能改變命運，改變人生。」

我覺得我的人生恰是在印證這句話。父親給我愛、學習與庭訓，塑造了我的個性特質：尊重、律己、守時、守分、長幼有序等等，無非一般家庭倫理規範，卻讓人終身受用。

父親在世時，放手給我自由，讓我探索，適時指引和啟發，引發我閱讀與學習的熱情，影響我的性向人格，也影響了我的人生。他溫暖的話語不時在我耳邊響起，提醒我要走在有規畫且正直的人生道路上，遇到困難，幽默以對，凡事都要積極，有始有終。

第5章

臺灣最會花錢的媳婦

一九七一年十一月一日，洪建全基金會正式成立，這年的二月我的女兒于倫出生，兒子裕鈞已滿兩歲。基金會就如同我的第三個孩子，我一心一意養育呵護，期望它早日成長茁壯！

誰知投入基金會沒幾年，我就贏得了一個稱號：「臺灣最會花錢的媳婦！」

我是一九七〇年代臺灣十大企業家之一洪建全先生的大媳婦；我是家族企業國際電化商品公司的財務經理，同時兼任非營利事業的洪建全基金會執行董事。

上午營利，下午非營利

上午在公司處理會計財務，追蹤業績以求最高營收效益。下午到基金會主持會議，忙著做決策，積極推動各項文化播種的長期計畫，善盡非營利組織的理想與責任。

彼時這類的基金會尚不多，大多數的非營利組織都還停留在發放獎學金、濟貧、救災、扶助急難等慈善活動。我主張要開風氣之先，以主動、積極且有長期的規畫去耕耘教育文化工作。這種需長期投入規畫的想法與做法，並非主觀意願就能達成，必得要有天時、地利、人和的配合協作，還需要時間與耐力，最重要是決策者的心胸與

1971年11月1日，洪建全基金會正式成立，這年的2月我的女兒于倫出生，兒子裕鈞已滿兩歲。基金會就如同我的第三個孩子，我一心一意養育呵護，期望它早日成長茁壯！

理解。

基金會一成立，我主動請纓擔任「執行長」一職，是興趣也是理想使然，完全沒想到這竟會是一個沉重的負擔。公司財務管理絕不可能放下不顧，我這個媳婦當得很辛苦、很緊張，內心深處卻有某種期盼與使命感。幸而公公、婆婆與先生都很支持我。

不過，公公偶爾還是會提醒我，重點得擺在企業上，教育文化畢竟次要。他用臺語說：「何況妳已經嫁入洪家，妳要分辨看清：孰重孰輕？千萬不可『豬頭不顧，去顧鴨母蛋』。」

這是句臺灣俚語：國際牌是「豬頭」，是大事；教育與文化只是「鴨蛋」，是小事。這個比方我都理解，卻也只能在心裡哀怨地說：「好吧！誰叫我我嫁的是『賣電視機』的，商業是至關緊要的重心，我要從事的藝術和文化工作雖然也很重要，不過當下的現實還是得顧，必須暫時擺第二位。」

然而，經過五十年物換星移，時序轉化，藝術文化儼然已成為社會的主流，成為更多人嚮往之所在了！

基金會創造的不是看得見的利潤而是價值

洪建全先生對基金會的經營要求如同一般企業，事事都要完備：遠景、理念、計畫、實施、檢討、修正等都有規範，每一步精準確認後，才能再邁出下一步。每一年的企業經營年度會議裡都要求各個子公司——包括基金會，視基金會也是一個企業體，在每年十一月八日「關係企業週年紀念日」我都必須上臺報告營收、利潤與效益。

我所經營的基金會本質乃是非營利，不但沒有收入，還只會花錢，更不可能產生營收與利潤，該怎麼辦呢？

於是，每逢企業週年紀念日，我就花盡心思說故事，設法引發共鳴。我說贊助陳達錄音的美事，描述孩子們來視聽圖書館看書的美景，宣布出版圖書獲獎連連的喜訊。我積極告訴洪建全先生以及關係企業的經營者同仁們：「基金會創造的不是看得見的金錢利潤，而是為我們的社會、我們的未來創造影響力，眼前不一定看得見，卻是子孫下一個世代的福祉，因為我們在播種價值。當然，更重要的是要謝謝國際牌和關係企業的共同努力、發展與支持，才能讓公益的薪火延續下去。」

逐漸確立基金會的宗旨是「關懷、成長、和諧」，更揭示了三大原創精神：

一、積極主動的精神，回應時代潮流及社會趨勢，從事具前瞻性的播種與文化傳承的工作。

二、出錢也出力，從參與中體會「取之社會、用之社會」的使命感。

三、透過教育、文化、藝文活動或贊助，推動長遠的文化扎根與耕耘。

我主張洪建全基金會要以企業理念及做法來經營：聘請專職人員，訂立管理規則，擬定長期計畫。也就是把我在國際電化公司的運營模式，以及學習到的種種觀念，設法移植到基金會這一非營利組織來加以推動實踐。當時我的先生洪敏隆是公司總經理，非常支持基金會各種活動。不僅每年捐贈部分盈餘，經營運作上更大力協助，幾乎有求必應，成為我的「最高指導」。

後顧無憂的我，於是聘請專職人員開始我的非營利機構經營之路，也正式進入「上午營利，下午非營利」的生涯規畫，釐訂各種捐贈方案、大小活動，以及長期計畫。洪建全先生一向充分授權，凡有新構想，提出後，只要說清楚講明白，他都會支持。我也就大膽地把這些年在國際電化公司當菜鳥財務經理的經驗，學到的、見識到的，想方設法都運用到基金會的管理運作上了。

當時基金會還有一項創舉，那就是我們不像當時一般基金會，以發放獎學金、救災濟貧等社會福利為會務重心，而是以「播種、開創」的嶄新認知，大力開展基金會的風格與型態。幸運的是，不僅是敏隆有這份心，洪家兄弟姊妹們也都有志一同。我們共同的信念是：企業乃營利賺錢的機構，而基金會是非營利花錢的機構，也是回饋社會創造影響力的地方。

當時文化風氣漸開，報紙廣播電視等大眾媒體無不爭相報導各式各樣的文化新聞，加上我從小熱愛文學，對於文壇動態非常感興趣，總是懷抱求知若渴的精神，細心傾聽與觀察，發掘出各種需要協助，且具有創意的重大文化議題。隨著基金會工作的推廣，我逐漸發現，文化遠景只要拉得開，都會引發共鳴，也能召喚出同好，同心協力一起創造願景。

祖孫三代都當「董事長」

我在洪家與公婆的相處和睦，不僅沒有代溝與婆媳嫌隙，更可以說宛如水乳交融般密切。

小兒裕鈞是洪簡二家的寵兒，時常被阿公、阿嬤拉在身旁跑跳玩耍。成天在董事長室爬進爬出，阿公是董事長，裕鈞竟也學阿公翹腳當董事長，還在牆壁亂塗鴉，畫滿了小汽車，我看到了急忙制止，阿公卻從公文堆抬起頭向我搖手：「沒關係，讓他畫！」

裕鈞是長孫，更是阿公的寶貝，幾乎一刻都不能離開他的視線。阿公長期與肝病抗戰，常需住院檢查。有一次正逢阿公要體檢，裕鈞不巧也得了百日咳，阿公竟請醫院讓二人一起住院，一老一小住相鄰兩個病房，祖孫相伴攜手抗病治療。

裕鈞從小穿梭進出阿公辦公室，學老人家辦公說話。

有一天，阿公問他：「你是誰？」

他即刻模仿阿公說話神情，唯妙唯肖地回答：「我是董事長啊！」

當時逗阿公大笑的長孫洪裕鈞沒有食言。二〇一六年，日本松下慶祝成立九十八週年，臺灣松下也在這年紀念成立五十四週年，洪裕鈞在這一年接下臺灣松下董事長的重責大任，不負阿公所望。不僅擔當經營者的大任，還自創品牌，如AGENDA數位行銷顧問公司、十一建築與設計事務所、愛比科技（IPEVO）與行競科技（XING Mobility）等公司，放眼未來產業與國際行銷。提起創業的挑戰，他總是很自豪地說：

裕鈞從小穿梭進出阿公辦公室，學老人家辦公說話。
有一天，阿公問他：「你是誰？」
他即刻模仿阿公說話神情，唯妙唯肖地回答：「我是董事長啊！」
洪建全、洪敏隆、洪裕鈞祖孫三代都擔任了董事長！

「我是阿公的孫啊！」

回首兒女年幼時，忙碌的生活已成日常，每天都在公事與孩子之間打轉。兼顧工作與家庭的兩難，一直是我生命裡的重大挑戰。偏偏我又不自量力，主動擔起洪建全基金會執行長的任務，在企業界與文化界兩邊忙碌，正所謂蠟燭兩頭燒的煎熬。

一九七〇至一九八〇年代之間，正是基金會草創期，也是臺灣文化意識甦醒，百事待舉也可舉的時期。我躬逢其盛，個性使然以及深受儒家經世致用思想，凝聚成一股認真執著的使命感。一旦認定有意義、有價值的議題便會全力以赴，落實成型。至於有沒有利潤？見不見得到利益？或說與洪家事業有無關連？都不是我的考量因素。因此，將基金會重心導向文化與教育，創辦閱讀環境裡最為缺乏的書評雜誌，便成為我念茲在茲的工作目標。

《書評書目》創刊，是臺灣文壇一大創舉

我從小熱愛閱讀、看戲、看小說，留學美國時，大學圖書館裡藏有很多華文書，舉凡金庸作品、五四新文學、香港出版物等，甚至連各種禁書都找得到。唯獨臺灣

坊間出版品很少，讓我思念故鄉文學書，真若大旱之望雲霓，熱切渴求而不可得。於是常向大姊簡宛、好友隱地（本名柯青華）、貴真夫婦求援。自己也動筆寫小品文，一九六八年便以「洪簡」為筆名，寫了一篇〈結婚一年〉，投稿到《中央日報》副刊，漫談留學生活的點點滴滴。

回到臺灣之後，經常與姊妹、老朋友連繫。一九七一年基金會成立，隱地先生剛由軍中退役。他不僅有文采，更有豐富的編輯經驗與熱情。當時我正在思考如何開展基金會會務，有鑑於臺灣出版雖然日益蓬勃，卻還缺乏一份傳達新書資訊的專業書評刊物，遂有了創辦以評介書籍為主要內容的雜誌構想，並邀請隱地負責編務。於是，當「數位資料庫」遠遠還沒蹤影之前，基金會便一板一眼編纂書目，把主要作家的各種出版品分門別類，以便檢索。

一九七二年九月，《書評書目》雙月刊創刊，是當時臺灣文壇一大創舉。中央圖書館（國家圖書館前身）想做卻還沒能做到的事，我們努力做到了。

當時文化圈流行一句話：「如果你要害一個人，就叫他去辦雜誌。」起心動念辦雜誌，我的內心相當忐忑，加上公公婆婆對於「辦雜誌」這件事毫無概念，記得我告訴公公：「基金會打算辦一本關於『讀書與出版』的雜誌。」

「雜誌我不懂，基本上我都信任妳。」他毫不猶豫地說：「不過妳得提出計畫，把預算、執行、檢討等事項都落實，如何經營我們是外行，妳必須想清楚，要找到專家幫忙。」

我遵從公公的建議，畢竟辦雜誌我也是外行，但我信任專家。於是基金會第一項業務：創辦《書評書目》雙月刊，一九七二年九月起，直到一九八一年九月止，總共出版發行一百期。這是洪建全基金會送給臺灣文化界，一份鄭重且厚重的見面禮。

第 6 章

臺灣第一本專業書評雜誌《書評書目》

《書評書目》雜誌出刊後，頗受文化界注目，這在當時的臺灣是一項創舉。隱地先生對編輯出版有極大熱誠，經驗豐富，有人望也有人脈。因為《書評書目》的出刊，我雖然不曾參與編務，但因喜愛閱讀，欣賞也尊重作家學者，隱地時常引介我認識當時文壇知名作家文人：林海音、黃春明、沈謙、亮軒、景翔、林良、馬景賢、琦君、薇薇夫人等，都是我向來景仰的作家。於是時常邀約相聚，談文論藝，我則細心筆記談話時所提到的一本本好書，再設法買來閱讀典藏，誠人生一大樂事。

成為專欄作家，走入文化圈

與文化圈互動頻密，認識的人多了，陸續獲邀參加當年頗知名的國際社團，如國際職業婦女協會臺北第一分會，崇她三社的創社等。一時之間我的文化生活蓬勃熱鬧起來，因緣結交許多文化藝術界人士，比起我的企業生活，真是有趣多了！特別是創辦兒童文學創作獎之後，廣邀作家參與評審諮詢，有了更多機會與文學名家相聚同樂！

一九七六年的冬天，在林海音女士那個號稱等同「臺北大半個文壇」的客廳裡，作家群聚一堂吃飯聊天，有緣結識了薇薇夫人，她當時主持華視婦女節目《今天》，也筆耕《聯合報》家庭版「薇薇夫人專欄」，是家喻戶曉的名人。初次見面，就深刻感受到她那謙和、自然、爽朗直率的性格，真是氣味相投，兩人一見如故，相談甚歡。

聚會快結束前，薇薇夫人突然問我：「靜惠，我想請妳幫個忙，我在《聯合報》的專欄出刊頻率太高，實在招架不住，我想請妳幫忙分擔一點，可好？」

「專欄？我行嗎？」雖然懷抱興奮之情，我也擔心地問。

「沒問題的，嶺月也答應承擔一部分，我們共同寫作。妳就把生活的見聞，國外留學的觀察，文化事業經營的心得，慢慢整理出來，一定會受到讀者的歡迎。」

在林海音的鼓舞打氣之下，專欄名定「雅歌集」，我以「洪簡」為筆名，每週一篇，記述我的所見所聞，所思所想。從小所懷抱的寫作美夢，一下子竟然成真！那真是令人興奮著迷的時刻，我從企業界出發，終於真正踏足文化界了。

作家群聚在書評書目出版社

《書評書目》創辦初期，蝸居在博愛路三樓的小辦公室，有很多溫馨的回憶。

博愛路辦公室鄰近武昌街的「明星咖啡館」，再走幾步就是書店林立的重慶南路，轉個彎就到了衡陽路，不但交通便捷，也是當時臺北文化重心區。隱地先生擔任總編輯，不時有文友到訪，如出版人沈登恩、學者沈謙、影評人景翔、散文家亮軒，當時活躍在廣告、電視、小說各界的黃春明，都是常客。

書評書目出版社借用國際電化公司的辦公室，小小空間裡只有兩張桌子，一張給隱地，一張給編輯陳芳明，旁邊有一個可移動的木頭樓梯，通往四樓的會議空間。這把木梯是黃春明的最愛，他只要一現身，就會把梯子搬出來，他並不是要上樓，而是坐在梯子上「開講」，口沫橫飛說故事。

黃春明的故事太好聽了，他講幼小失母，非常頑皮，到處闖禍造事端，阿嬤夏天打著赤膊，把二個布袋奶子甩到背後，捉他回家痛打。又講到去寺廟撒野，惹得住持要抓他，他情急之下把龍眼核丟滿地，讓住持跌倒的調皮事。

笑聲像磁鐵一般，把過路的同事都吸引住，圍著黃春明，連住在辦公室後棟的洪家老老小小，包括公公、洪家兄弟也都循笑聲而來，圍著小說家聽講古。黃春明有才華、創作力強，說出的故事大多都成為小說，是臺灣文學界的長青樹！

1975年9月2日，洪建全視聽圖書館在南京東路開幕，
書評書目出版社也從博愛路搬遷至此。

《書評書目》雙月刊其實冷門，是一本僅關注「出版與書評」的雜誌，能夠順利發行，無非公公婆婆信任我。他們相信我這個文學院出身的媳婦力足以擔當，也相信文學的力量，閱讀的力量。加上敏隆也是個喜愛藝文的人，少年時便立志當詩人，只是工作忙碌，讓他無暇執筆寫作。不過，他還是以實際行動支持文學：每期刊登封底廣告，以廣告費彌補雜誌的收支不平衡。

定期寫專欄壓力不小，有紀律的寫作卻也建立了我的信心，實踐幼小時對文學的熱愛，為此，抓緊時間閱讀與逛書店，成為我一輩子的興趣。特別在一九七〇年代初期，中國大陸正值滿天烽火的文化大革命，臺灣卻是百花齊放，經典作家輩出的年代，文風鼎盛，雜誌與書籍出版趕上戰後嬰兒潮世代的成長，求知若渴，如痴如醉，一時之間文人興辦的各類雜誌如雨後春筍，到處湧現。當時有九家雜誌社：《書評書目》、《音樂與音響》、《皇冠》、《婦女》雜誌、《綜合》月刊、《傳記文學》、《科學月刊》、《讀者文摘》、《拾穗》等，每月輪流作東聚會，分享文壇大小事，成為我最好的學習場合。

每月九家雜誌聚餐訂餐廳時，還曾引起有趣的誤解。有天我告訴敏隆，要赴「九家雜誌」的餐會。

敏隆打趣說：「啊！酒家也辦雜誌啊？」

我正色道：「喔，是『九家』，不是酒家啦！」

這九家雜誌的創辦人或總編輯無一不是響噹噹的文化界大老，比如張繼高、張任飛、劉紹唐、平鑫濤等，不但是雜誌界的識途老馬，且人生歷練豐富，見識廣博，彼此卻沒有所謂的「文人相輕」，大家珍惜難得的文化緣分，相知相重，不僅每月切磋學習，成為一生的好友，某些點撥還影響了我之後的人生。

當時正值臺灣出版界蓬勃發展，一飛沖天，主管出版業務的新聞局，每年頒發「金鼎獎」給優良出版品。隔幾年後，更有盛大頒獎典禮，電視還會轉播，非常風光。

我曾與《傳記文學》社長劉紹唐先生同時受邀主持頒獎典禮。人稱「師父」的劉紹唐是我很敬重的前輩，他擔任《傳記文學》發行人、社長與主編，開創了寫傳記、讀傳記、重視傳記文學新風氣，掀起了當代歷史書寫風潮。有機會與他連手合作，當然是一大榮耀。讓人緊張的是，當年電視臺即時的實況轉播，完全不能重來，還要化妝、背稿、預演，壓力真的不小。但我們可沒怯場，還脫稿演出呢。

「今天典禮主持人可說是『老少配』！」長我二十歲的劉紹唐一面打趣，一面接著說：「金鼎獎得主本來就有老有少，所以呢，以後每年就都請我們這對『老少配』吧！」

我接著說：「那就得問問局長的意思？」

只見時任新聞局長的宋楚瑜，連忙點頭。

風光無限，出版得獎連連

師父劉紹唐的學養和幽默，令人難忘，文人雅士的聚會也都談笑風生，推動文化事業表面上浪漫，實際卻充滿荊棘。出版與發行，在在需要專業人力，還得投入大筆經費，雜誌與書籍一旦印好，就要開始經銷，然而送入倉庫卻還沒賣出的庫存書，帳面登錄的都算是資產。因此出版界常有「經營是黑字，周轉卻不靈」的說法。換句話說，看似賺錢，其實賺的都是倉庫存貨。

記得公公就曾經很不解地說：「想不到賣書比賣電視機還難！」

「雖然難，可是對下一代有好的影響，我們就要堅持下去。」我這麼說，洪老先生也就無條件支持下去。

我們的堅持，獲得社會各界的肯定，一九七〇年代中葉後，《書評書目》雜誌及出版的專書，陸續傳來受到各界肯定與獲得金鼎獎的好消息。這些肯定也幫助我獲得洪老先生及董事會的肯定！

一九七七年，雖然忙到不行，為了興趣所在，我竟還在文化大學兒童福利系開設「教育概論」課程，有一天系主任俞筱鈞女士問我：「靜惠老師，我有意提名妳參選十大傑出女青年。」

「我合適嗎？」

「妳是書評書目出版社發行人，開創經營洪建全視聽圖書館，又在大學教書，積極推動兒童及成人教育，再合適不過了。」

我尋思，若有機會得獎，一定會讓公公很開心，畢竟以他白手起家的經驗，全國性的獎項是很難得的光榮，也有機會讓洪建全基金會曝光，得到更多支持。心中有了這樣的定見，我也就不推辭了。

果然，當主辦單位宣布我當選「中華民國第七屆十大傑出女青年」，訊息一經媒體披露，公公回家時，帶著報紙，笑咪咪地說：「靜惠上報了，十大傑出女青年啊！」

「都是您的支持啊！」我趕緊謝謝他。

接著一九七九年，《書評書目》雜誌榮獲新聞局金鼎獎「優秀雜誌類」獎項，以及一九八五年洪建全基金會獲新聞局金鼎獎的「獎助出版事業及出版有功獎」，公公都很高興，還鄭重保存了剪報，足見他感到莫大的光榮。

一九八六年，洪建全先生過世後，基金會還是繼續有精彩的表現，可是我不再熱中爭取表彰或得獎。我明白：基金會要做的事大都是時代或社會所需，是開風氣之先，不會立竿見影。

1970 年代中葉後，《書評書目》雜誌及出版的專書，陸續傳來受到各界肯定與獲得金鼎獎的好消息。這些肯定也幫助我獲得洪老先生及董事會的肯定！
圖為簡靜惠在書評書目出版社。

—— 第7章 ——

創辦洪建全兒童文學創作獎

我的童年是在臺北近郊的中和鄉度過，十來歲的我，經常領著從兩歲到十歲的弟弟妹妹，走出媽媽看顧的「興美商店」，穿過枋寮街，走過街巷，踏上鄉間小道，看農人在田裡耕作，看婦人在溪邊洗衣，孩子們撈浮萍、抓蝌蚪。在沒有電視的時代，每天黃昏時分，六點到六點半我們都圍繞在收音機旁，聽中廣白銀阿姨《快樂兒童》節目，許多童謠兒歌都是這樣學來的。讀課外書籍也是我們的共同記憶，大姊簡宛是我的閱讀伴侶，兩人有說不完的故事笑話，更多的是分享小說心得。

簡宛提議開辦兒童文學創作獎

大姊簡宛從小喜寫作，創作文類以散文為主，兼及小說、兒童文學。一九六七年寫作至今，始終孜孜不倦。她的散文小品，多半以身邊瑣事為題材，表現懇摯親切的情感；她的小說，有著趣味的情節，卻寓含嚴肅的意義，透過輕鬆的筆調，表現出對周遭人事物的關懷。她也從事兒童文學創作，翻譯童話與其他著作，特別關心文學裡的教育意涵。

我和敏隆生育一兒一女之後，越來越關心孩子的閱讀與成長，很快就發現，當時

簡宛提議開辦兒童文學獎，圖為簡宛（左）與洪游勉（右）。

臺灣非常缺乏具有本土創作的兒童讀物，小孩從小所接觸到的不是安徒生童話、白雪公主就是米老鼠，長期浸淫外來文化之中，思想及行為的模式，漸漸向西方傾斜，認同他們的文化型態，而失去了臺灣本色，想起來就很痛心！

我經常反思著：「我們的作家到哪兒去了？」

當作家們的筆觸圓潤了，思維豐盛了，是否也可以來為我們的孩子們寫作？盼望能有更多的作家一同關注在地情感、生活、背景與傳統，寫下童話、童詩與繪本，讓孩子們從小就能認同自己的土地與文化，這就是大姊簡宛建議下，基金會決心創辦「兒童文學創作獎」時的初衷。

辦獎嚴謹，公開公平公正

一九七三年，我向洪建全先生提出設立「洪建全兒童文學創作獎」的計畫，主要宗旨為：一、提供國內的孩子更好的讀物。二、提高國內兒童讀物的水準。三、培養國內的兒童文學作家。公公婆婆自幼失學，靠自己的努力苦學，對於教育閱讀的提倡，從來不會說聲「不」！

1974年4月，第一屆「洪建全兒童文學創作獎」正式公開對外邀稿。從創辦之初，這大獎就確立嚴謹的評審過程。邀請到的評審委員如洪炎秋先生、林海音、林良、琦君、潘人木、馬景賢、鄭明進、曹俊彥等，可說是一時俊傑，也是國內兒童文學權威。

董事會通過計畫之後，在一個春光明媚的午後，我特別代表基金會出面邀集當時特別關心「兒童文學」的作家們，包括有林良、馬景賢、林海音、琦君、潘人木、華霞菱、曹俊彥、趙國宗、鄭明進、隱地、蓉子等，大家聚集在臺灣大學附近的「榛樹林」餐廳，集思廣益，共同催生中華民國第一個兒童文學創作獎，一起商討怎樣才能做到最好？

大家對於透過「徵文」與「頒獎」，引發社會各界對於兒童文學創作的動機和興趣力表贊同，也期待這一個大獎能培養出更多本土兒童文學作家。有了這群作家的「背書」支持，基金會毅然決然創辦兒童文學獎，內容包括小說、詩集、童話、劇本、兒歌與圖畫故事等。

一九七四年四月，第一屆「洪建全兒童文學創作獎」正式公開對外邀稿。

從創辦之初，這兒童文學大獎就確立嚴謹的評審過程。我僅僅參與擬定宗旨、獎項、徵件辦法、評審流程等行政企畫工作，爭取到足夠的經費。我從不介入評審流程，希望建立大獎的公正、公平性。第一屆評審委員的召集人是知名作家，也是學者洪炎秋先生；委員共有十二位：林海音、林良、林鍾隆、琦君、潘人木、華霞菱、華景疆、蓉子、馬景賢、鄭明進、趙國宗、曹俊彥等，可以說是一時俊傑，國內兒童文學權威。

一年一度的頒獎典禮更是重頭戲，公公特別提醒我：「頒獎要擴大舉辦，我一定會到現場為大家打氣！」與此同時，我也會特別邀請媽媽和婆婆參與頒獎，為她們介紹作家也分享榮耀，傳遞她們的愛給得獎者。臺上臺下，大家一起感受這項大獎的意義非凡，透過得獎作品，讓兒童文學的種籽，能夠散播在圖書館、學校和家庭之中，也在孩子們的心裡悄悄發芽。

洪建全先生認為每年的頒獎典禮一定要盛大舉辦，這樣才會吸引社會大眾的目光，重視兒童文學的發展。公公這一說法，看似好大喜功，卻是常見的商業技巧手段，典禮辦得隆重，媒體廣為宣傳報導，這樣才能引發更多的參與響應，徵求到最好的作品。

一九八五年，第十二屆兒童文學創作獎在來來香格里拉大飯店舉辦頒獎典禮，那一年李潼（本名賴西安）以《順風耳的新香爐》得到少年小說組首獎。我得知李潼兒子剛好滿月，跟婆婆說了這個好消息。

婆婆立刻說：「雙喜臨門，那要趕快再包個紅包給他。」

公公一聽到也說：「再補送一個電鍋，好燉麻油雞用……」

李潼於二〇〇四年英年早逝，真是令人惋惜。許多年後，我到宜蘭拜訪李潼夫人，往事歷歷，不勝唏噓。幸而李潼的文采，還能藉由兒童文學與民歌〈廟會〉、〈月琴〉等創作，繼續在人間傳閱與傳唱。

培育兒童文學作家，協助出版

第一屆得獎作品公布後，基金會邀請周浩正（周寧）先生參與編務，負責出版這些作品，結果三個月內就將五冊書出版問世，既快又好！

為擴大推廣兒童讀物，不單只是得獎作品，基金會也希望能出版「有益」也「有趣」的童書。當時的臺灣，除了漢聲出版社出版本土自製兒童套書《漢聲中國童話》之外，幾乎都是翻譯書的天下。有鑑於此，書評書目出版社增加童書部門，加入推廣自製兒童讀物的行列。

漢聲著重在民俗古典，洪建全基金會則始終維持文學創作、科普或各行業相關套書，曾邀請林文義先生主編：《中國智慧的薪傳：105位名家為孩子說為孩子寫》（六冊）、《360個朋友》（八冊）、《創意童話》等都是專為臺灣兒童創作的本土童書系列，

洪建全先生認為每年的頒獎典禮一定要盛大舉辦，這樣才會吸引社會大眾的目光，重視兒童文學的發展。
圖為第一屆兒童文學創作獎頒獎典禮。

造成轟動。

其後，我們的出版品也陸續獲得大獎肯定，一九八七年李潼《天鷹翱翔》獲得金鼎獎優良圖書，一九八八年《創意童話》再獲金鼎獎優良兒童圖書，一九八九年童書《大鼻國歷險記》獲教育部國家文藝獎。

當年，由於出版市場還不重視兒童文學，非營利組織理應投注心力，努力耕耘，我們所規畫的兒童文學創作獎與童書出版，著眼點絕非在於獲利，而是「但開風氣不為師」，引領市場力量繼續投入灌注，開展出一片花團錦簇的花園。

一九八〇年代，兒童文學創作環境逐漸成熟，兒童讀物出版也跟著蓬勃發展。一九九〇年起，基金會遂將「洪建全兒童文學創作獎」委託「中華民國兒童文學學會」繼續辦理。

第 8 章

守住基金會播種的原創精神

翻開我早年的散文集《雅歌集》中，「橋」是經常出現的意象，〈橋〉、〈又是一座橋〉、〈瞭解的橋〉、〈一張賀卡的啟示〉、〈世界志願工作者會議記實〉等篇章中，都出現了一座座橋。

想起當年我開始準備提筆寫《雅歌集》時，恰好在第四屆亞洲音樂會上聽到來自菲律賓的卡西拉葛博士（Dr. Lucresia Kasilag）所說：「藉音樂為橋梁，而達到人與人之間的真正了解。」這一句話給了我很大的啟發。於是，當年的文章遂經常圍繞著「橋」、「人與人之間的了解」、「溝通」這些主題打轉。

在企業與文化間搭起一座橋

我曾寫下：「我們每天都在扮演著『橋』的角色，一句話、一篇文章、一本書、一場音樂會，甚至一場球賽都是一座橋；也代表著一種精神、一股力量，在連接、在交流。打破人與人之間的隔閡、化解仇恨、消除障礙。因著『橋』的連結，世界才會變得更可愛，文明不致中斷，人性的光輝得以洋溢。」我自己也悄悄立下心願，要在人生中化作橋梁：在家人朋友與組織之間、在企業與文化之間。

我所主持的基金會，也是搭起「一座橋」，連結作家、音樂家、藝術家與社會大眾，讓藝文如河水流動，人們可以在橋上談笑風生，看山看水看雲看月！藝術文化不應「曲高和寡」，而是要走入人間，影響整體社會風氣才是。

基金會成立之後，更多企業投入非營利事業，無論畫廊、講堂或公益活動，無一不是由成功的商業組織提供地方與資金，成為社會大眾與藝術家的橋梁，共同改造國內藝文環境，為國民生活貫注文明的精神食糧。臺灣走向現代的過程裡，代表物質文明的工商企業與代表精神文明的藝術能結合在一起，那是多麼難得的機緣啊！

對我個人而言，開展文化事業，讓我化身橋梁，進而踏出腳步，走出家門、公司，參與社團，進出海內外，跟世界的潮流接軌，增廣見聞開拓視野，也把相關的國外經驗帶進臺灣。我是個充滿熱情，即知即行的行動派，總愛將新觀念、新做法導入基金會，許多創新念頭，經過思考消化，也都能獲得公公首肯，一一實現。而今更是隨心所欲，對文化播種的心情仍然熱情澎湃！

書籍出版的意外收穫不少，得以促進家庭和樂，最讓我開心不過。我經常帶回少年小說、繪本給婆婆和孩子閱讀，自己也讀。婆婆愛看書，隨著年歲增長，老花眼越來越嚴重，一般圖書看起來不免吃力。我靈機一動，少年小說字體較大，文字淺顯，又有插圖，相對不費力。於是過去人家常講的「三代同堂」，到了我家，轉成「三代共讀」。生活有了共同話題，祖孫共享故事裡的種種想法，化解三代本來會有的差異，促進彼此了解，可說一舉數得。

《書評書目》面臨發行危機

縱然當年臺灣文化蓬勃起飛，書籍出版發行盛況空前，《書評書目》雜誌終究因學術性格濃厚，相對冷門，每期銷售量約略一千五百本左右，確實是相當大的負荷！另一個令人料想不到的是，政治言論管控，竟然也會影響到這本很單純的文學刊物，動輒得咎，風聲鶴唳。這種干預，對於背後捐款支持的企業家，露臉擔當行政協力的基金會，都是難以承受的負擔，忐忑難安，擔心遭到檢舉，疲於奔命處理發行危機。

《書評書目》一九七七年二月號（第四十六期），發表了一篇來自香港評論家清淮所寫的文章〈於梨華的新書〉，重點介紹作家近況，並批評她不該過度於稱讚「新中國」。刊物發行上架沒多久，主編隱地便接到警備總部老長官李世雄來電：「青華，你難道不知道，警總、新聞局、文工會的『書刊審查小組』早就決議，所有媒體都不能

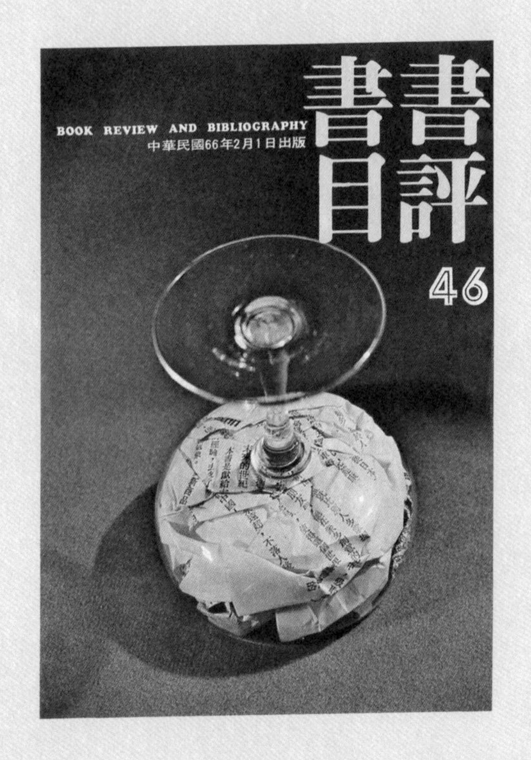

1977年2月號（第46期）的《書評書目》，發表了一篇來自香港評論家清淮所寫的〈於梨華的新書〉，刊物發行上架沒多久，便接到警備總部的「關切」。主編隱地帶著同仁，跑到重慶南路、武昌街、博愛路等書店和書報攤，向店主人鞠躬，說明原委，拿起雜誌，撕去有爭議的頁面，再放回書架上。當年發行《書評書目》這樣純粹的雜誌，卻得承受政治關切，對當時的基金會備感壓力也蒙上陰影。

刊登有關於梨華的文章和評論？」

「這我真的不知道，而且我們登的文章是批判於梨華的啊！」隱地當時很疑惑。

「於梨華一九七五年回歸大陸，這幾年她寫了太多稱讚新中國的文章，不管評論她的文字如何，一律都得查禁！」

「這一期雜誌已經上市，怎麼辦才好呢？」

「那你趕快到書店、書報攤，把那篇文章通通撕掉，我會向上級報告，保證你絕無惡意。」老長官很好心提醒。

事後，隱地告訴我，他帶著雜誌社同仁，跑到重慶南路書店，以及武昌街、博愛路各個書報攤，向店主人一一鞠躬，說明原委，拿起雜誌，撕去有爭議的頁面，再放回書架。

奔走處理結束後，隱地站在街頭，望著熙來攘往的人群，他突然覺得滑稽突梯，一陣哀傷情緒襲上心頭，忍不住流下了眼淚。他對我說：「真不知會有什麼恐怖的狀況發生啊！也不過就是登了一篇書評，提到『於梨華』這個名字而已。」

一九七〇年代，發行《書評書目》這樣純粹的雜誌，竟還得承受政治關切，確實讓我心裡蒙上一道難以磨滅的陰影。

《書評書目》出刊到一百期，宣告停刊

《書評書目》終究還是走向停刊的命運。辦了九年雜誌，確實讓人感到疲累，而且收支始終不能平衡，畢竟這是一個理想，也只是我兼職的副業。發行單位是洪建全教育文化基金會，雖說是非營利機構，卻也難以長期負擔這樣沉重的財務支出。

一九八一年，《書評書目》出刊一百期，歷經四位主編：隱地、陳秋坤、王鴻仁、陳恆嘉，終於宣告停刊。回首當時，讓我感到最抱歉的是：最後一期主編陳恆嘉先生，他有滿腹熱情與才華，卻得讓他來收拾最後殘局。

陳恆嘉從第六十五期接手，到一百期結束時，他總共主編了三十六期。接棒之前，他就以寫小說出名，也是傑出的編輯與臺灣文學研究者。陳恆嘉與隱地都表現出較強的文學性，同樣也努力推出專欄，前後達二十五個之多。雖然有些專欄僅是曇花一現，但也有不少專欄獲得相當熱烈的迴響，像是「每月短篇小說評介」就分別邀請過季季、詹宏志、沈萌華等人，每期撰寫長篇書評，成績斐然。此外，陳恆嘉還重用畫家王永福（王谷），整體提升了雜誌封面與裝幀設計水準。

一九八六年，他為《書評書目》的「分類總目．作者索引」寫推薦文〈再來一百

期《書評書目》〉時，有一段沉痛的話語：

離開《書評書目》雜誌，是我心中很大的傷心和失敗。這樣的話，我還是第一次說出來。

……但是，作為一個寫了停刊詞的末代主編，我始終懷著一份傷痛和愧疚，覺得《書評書目》雜誌的停刊，自己要負起全部的責任，這一份傷痛和愧疚，使我原本黯淡的心情，變得十分沮喪，最少有兩年的時間，我幾乎絕跡臺北的文化圈，並想從此歸隱山林，面壁思過，過我深悔而且殘破的人生。

我讀過之後，真是痛心疾首啊！這件事純然是我的疏忽，決定停刊時，我沒有用心去關照周邊的人，尤其首當其衝的主編陳恆嘉先生。他後來成為優秀的臺灣文學研究者和大學老師，以及出版社總編輯，並在二〇〇九年走完他的人生，謹此祝禱他安息。

然而，文化事業的經營絕不是光靠「喜愛」或「熱情」就可以完成。由《書評書目》延伸出的出版社、兒童文學創作獎、得獎作品出版、兒童叢書，以及基金會新計

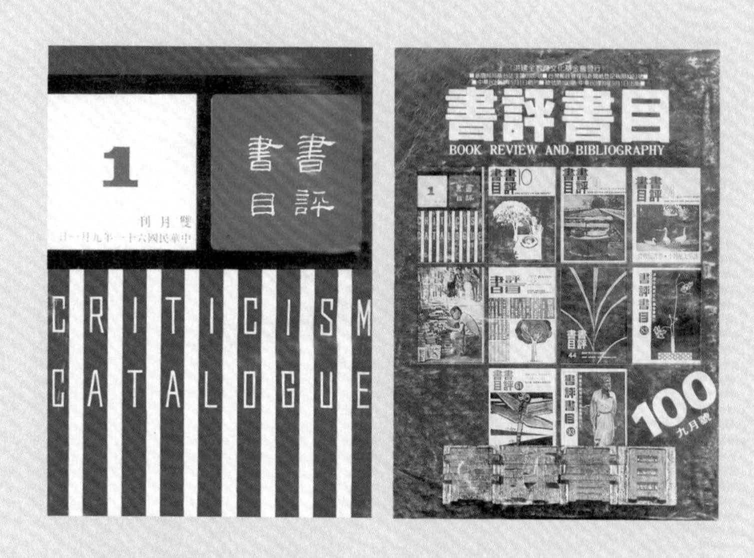

1972 年創刊的《書評書目》雜誌歷經九年，於 1981 年，出刊 100 期後，歷經四位主編，終於宣告停刊。

畫、贊助案種種，不單單有編輯壓力、政治關切與人事聘用問題，最讓人心力交瘁的還是出版品的行銷業務，收款無著的困境。

我因身兼基金會及家族企業的職務，常常要出入兩個迥然不同的場域。我十分清楚，「文化商品」跟「經濟商品」兩者經營模式天差地別，在理想與現實之間的拉鋸，非常痛苦。常常是在會務討論中，每當看到財務報表時，我會一下子從滿天的歡喜中，摔倒跌入現實的深淵之中。

人世間的事物都是變化不居的

經營基金會，總會遭遇到各方的需求。公公回家時經常會說：「有人想要基金會贊助。」

婆婆總會回答：「請他去問靜惠。」

其實何止基金會的提案要斟酌，洪家上上下下大大小小的事，經常也要我下判斷，我很快就學會不要太早決定，一件事往往涉及多方的利害，我有責任一一詢問，彙整大家意見之後，再謹慎決策，告知各方。

多元且偏向理性的思考習慣，轉換到文化事業的經營，讓我具備不一樣的視野，然而，在人與人之間的感性關照，卻相對欠缺。我對自己的定位設在「經營管理的行政管理」，設法讓基金會發展運作固守「非營利事業原則」並守住「洪建全基金會播種的原創精神」，支援社會或私人能力無法經營的創新計畫，當這些計畫或行事已具規模或普及之後，基金會就退出轉向。曾有人批評我的決策善變，殊不知我緊緊固守「非營利事業財團法人」的原則，深知順應潮流之所向，也自知能力財源的限制，兢兢業業一點也不敢懈怠！

這或許和我學歷史有關，我很理解人世間的事物都是變化不居的，每個階段，基金會支持的計畫都會有所不同，例如《書評書目》的停刊，我也用心觀察時代變化，如果書評與書訊已經有報社、大學與其他雜誌陸續投入，蔚成河流，紙本刊物就應當告一段落。而這樣的理想隨著網路事業的發展，《書評書目》或許將來有重新面對讀者的機會，而這個將來已到眼前。（請見〈對談〉第三一六到三一九頁）

—— 第9章 ——

臺灣第一座視聽圖書館

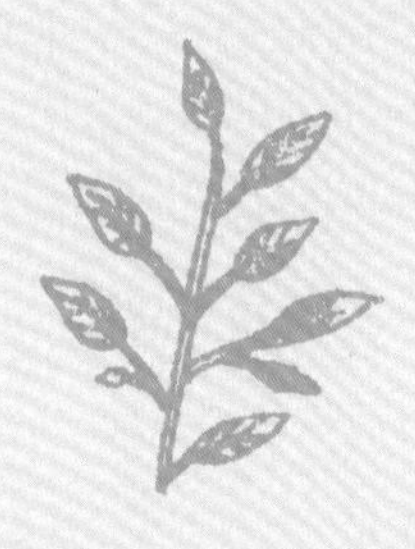

現代社會，人手一機，智慧型手機可以拍照、錄音與錄影，隨時分享寄送，也可貼到社群網站，與大家分享。數位通訊傳播分外發達的今天，實在很難想像當年人們第一次見到錄影機時，是多麼讚歎、新奇、興奮啊！

洪建全先生的企業都與電器與視聽傳播器材相關，這些載體所能傳播的內容也幾乎就是人類文明發展的精華所在：書籍、音樂、戲曲相關唱片、錄音帶等軟體，蘊含廣濶而深遠。一九七三年前後，商用錄影機開始上市，這是當時家用電器的一大革命。在臺灣，洪家所經營的「國際牌」，陳家的「新力」與李家的「三洋」，都極一時之盛，市場競爭志在必得。錄影機的出現不僅是商場的佔有率，更是整體社會文化記錄工具的大躍進。錄放影機可以邊看邊錄，還可預約留存電影、電視的聲音影像，這是多麼神奇，簡直是不可思議的事啊！

錄影機問世與規格大戰

早期電視錄影機分為VHS與BETA兩種格式，前者由松下與JVC主導，影帶較大；後者則由SONY主推，影帶較小。由於錄影帶不能互換，讓消費者有著使用上的困擾。兩種規格各有特點及優勢，全世界各種廠牌錄影機爭相設計開發「更長使用時間」時，國際牌VHS以領先的技術，將兩小時基本設計，開發成可供四小時使用的精密結構。最後，在畫面穩定鮮明的嚴格前提要求下，國際牌VHS首創六小時連續錄放影的設計，取得競爭優勢，逐漸勝出。

洪建全先生一直擁有創業家的眼光與氣度，看準市場需求，也充分了解VHS的未來潛力。早先就已與「日本松下」密切合作，彼此關係特別良好且默契十足，加上臺灣松下資源配備充足，銷售力也夠強大。於是國際牌VHS錄影機在短短一年多的時間裡，便已奠定市場基礎，最後奪得完勝。

把錄影機與教育內容推廣到軍中和學校

這是現代影音載體的大躍升，我在企業裡親眼見識VHS錄影機的強大功能與潛力之後，我心裡興奮吶喊：「如何讓更多人應用、體驗及享用錄影機的儲存功能？這分明是科技發明送給教育文化界的一大禮物呀！」也開始不停思索應用新科技的各種方法。

當時臺灣的電視臺還處於「無線傳播」為主的「老三臺」（華視、臺視、中視）時代，僅華視擁有超高頻教學頻道（今已改為華視教育體育文化臺），面向高中、高職、教師在職進修及大學選修等需求，製播教育課程空中教學，同時也對軍方播放「莒光日」教學與軍官兵進修等節目。受限於時段跟經費，無法反覆重播，觀眾學習上非常不方便。錄放影機設備可以解決這一困境，確實是及時且必要的設備。

因此我建議公公由國際電化捐助錄放影機到軍中，一方面表達對國軍保家衛國的敬意，另一方面，也讓在外島前線的國軍更加方便教學，能夠汲取各種新知識。這一建議，很快獲得公公首肯而由公司方面執行了。

建構一個視聽教育基地

回到基金會的本體，應該不是在推廣與銷售電視機、錄影機，而是如何將錄放影機從家庭或商業應用，擴展到教育文化或更寬廣的領域，才是我另一個思考的重點。因此有了開辦「視聽圖書館」的念頭。落實執行之後，開花結果成了一個新領域，那就是蒐集、展示與提供視聽音樂資料的「洪建全視聽圖書館」。

1977 年，從南京東路搬至中華路上、招牌醒目的「洪建全視聽圖書館」，陪伴許多人成長。

我滿懷教育學理念與敬意，希望透過建構一間嶄新的圖書館，表達傳播知識，推廣社會教育文化的一點心意。洪建全視聽圖書館的經營理念與傳統圖書館很不一樣，不只是「藏書」，還有音樂欣賞室、錄音、錄影等設備，希望能以最新最接近真實的音響視聽效果，讓大家親近音樂與藝術。館內設有錄影室（Vedio Room），可以錄影，也能放映影片，直接獲取各種新知。開架式的期刊閱覽室陳列有各種音響、音樂及影像主題的期刊，供讀者自由取閱。兒童閱覽室則排定各種節目，讓我們的下一代，能更早體驗閱讀、音樂與前人經驗累積的種種領域，廣增見聞，慢慢薰陶、養成更寬廣的心胸，多元的人格。

這間視聽圖書館的空間說起來很小，包容度卻很大，突破傳統圖書館靜態收藏的運作模式，以視聽影像提供嶄新學習經驗與感受。當時圖書館所擁有的音樂有聲資料，種類繁多，以歐洲古典音樂為主，從文藝復興、巴洛克、古典，到二十世紀的近、現代作品，都在收藏範圍之內，務求其完備。十九世紀浪漫時期的名作，更是收藏重點，尤其著重名家珍貴錄音的不同版本。錄影帶部分則包括音樂會實況、民俗活動紀錄、國中科學教育推廣錄影帶等。

為了讓民眾多加利用圖書館，還發行館刊《國際視聽月刊》報導各項演講及活動

視聽圖書館有兒童閱覽室也有視聽教室。

內容。一九七五年八月一日我在〈發刊詞〉特別強調：

這是一個知識爆發的時代，科學發達的成就反映在傳播知識的各種媒體上，知識的傳播與延續不再僅限於書本了。錄音、唱片、照片、錄影、電影及各種音響與影像效果的器材，加速也拉近了人與人間之距離，更促進知識與經驗的流傳與廣布。洪建全視聽圖書館成立並發行《國際視聽月刊》，即是表達上述的理想，藉著這本刊物報導視聽圖書館的各種活動與內容，廣布周知讓大家更快速地接近知識與音樂。

這份月刊從一九七五年創刊，發行到一九八八年，一共十四年、一百五十五期，確實達到了它的階段性任務與效果。

創辦洪建全視聽圖書館之初，我們就採取會員制，申請入會者需繳交器材維護費一五〇元（學生一〇〇元）。會員可來館戴著耳機聆聽原版唱片、借閱館內專書、期刊、錄音帶、錄影帶，免費獲贈《國際視聽月刊》，還能以優待價格購買基金會的書籍、唱片及音樂會入場券，可說相當划算。

當年有人質疑，既然是基金會經營，為何還要收費？殊不知基金會絕非慈善機構，只是不能營利，有了盈餘就必須回歸社會，善加規畫執行，創造雙贏，乃是主事者的經營責任。「使用者付費」原則恰恰是大眾尊重知識價值的一種必要方法。雖然付的費用很是微薄，卻是對智慧財產權及學術的尊重。

收藏內容走在時代前端的影視閱聽

當年來館聽音樂、看書的青年學生非常多，尤其附近建中、北一女、師大附中的學生尤其多，常常進出，不乏整天窩在館內者。更有如今成為音樂界的名人，像是現任衛武營國家藝術文化中心藝術總監，著名指揮家簡文彬曾對我說：「我念高中時，整天都在你們圖書館混，迷著聽音樂，尤其聽華格納全套作品，全部都聽了！」

二〇〇一年，簡文彬初任國家交響樂團音樂總監（National Symphony Organization, NSO），帶領樂團演出華格納全套曲目，轟動一時，把NSO帶入更高的水準，也提升了臺灣聽眾的欣賞品味。播種而能親見發芽茁壯，我深深感到與有榮焉。

但這一切還都得歸功於當年視聽圖書館館長林宜勝先生。林館長有高度的文化視

視聽圖書館著重在兒童教育和音樂文化兩大部分。
圖為簡靜惠和喜歡閱讀的孩子們。

在視聽圖書館可聽黑膠唱片，可觀看影片，有小型音樂廳可以看表演，還有許多兒童書讓孩子們盡情閱讀。

野及音樂素養，曾翻譯西班牙大提琴家卡薩爾斯（Pablo Casals, 1876-1973）的傳記《白鳥之歌》（*Joys and Sorrows*），對於音響的敏感度非常精準，為人正直可靠，是洪家兄弟的好朋友，他願意來主持館務，真是基金會之福！

回首四十年前，在那個人文氣息相對薄弱的時代，私人籌設圖書館，收藏內容卻是走在時代前端的影視閱聽，真算得上難得一見的創新之舉！官方對於企業支持設立圖書館總是先想到：是否要藉由公益之名達到節稅或免稅之實？然而，我們絕不作此想，從來不曾向政府申請任何免稅優惠。洪家一致的想法始終都是，要賺錢謀利，讓企業去努力，設立基金會就是要想辦法為社會謀福利，把文化種籽散播到腳下這塊土地。

視聽圖書館最早所需要的器材設備與軟體黑膠唱片、錄影帶、書籍等，絕大部分都是國際電化公司及洪家兄弟捐贈，即使日後由基金會編預算添購維修，也還是為了公益，而不及其他。一直到現在，每次家庭聚會，洪家兄弟還常常打趣碎碎唸：「都是大嫂啦，把我們好不容易蒐購的私房唱片全挖出來『寄付』給社會大眾。」（「寄付」是臺語，也就是「奉獻」的意思。）

而我也只能笑笑回答：「獨樂樂不如眾樂樂，音樂尤其要這樣啊！」

科技進步日新月異，影音設備進步更是一日千里，到了後來，臺灣家家戶戶都有音響設備。一九八九年，視聽圖書館功成身退，只保留「劉岠渭音樂欣賞講座」迄今。不過，基金會至今還是與臺灣松下緊密合作，備有高端先進的設備如薄型螢幕和雷射高階投影機等，經過申請後，可提供藝術家和藝文團體使用。

—— 第 10 章 ——

支持贊助臺灣藝文發展

視聽圖書館成立後，常來造訪的包括許常惠、史惟亮、許博允、賴德和等幾位臺灣音樂界人士。他們除了引介西方音樂發展，也開始注意當時快要失傳的臺灣民俗和民間音樂。由於這一淵源，進而開啟臺灣各界關注原住民、戲曲、民謠、山歌等不同類型的音樂。

臺北市西區扶輪社是臺灣最早成立的扶輪社之一，該社以關懷幫助他人、服務社會、造福人群為宗旨。參加者都是臺灣的耆老名士，洪建全先生是創始社友且積極參與從未欠席。每週例會，社方都會安排名人演講，許常惠、史惟亮等都曾是座上嘉賓。他們兩人從一九六四年起，共同倡導「民歌採集運動」，在臺灣各地田野調查，採擷原住民音樂、漢民族傳統音樂，加以整理、保存和研究，總共蒐集了近三千首臺灣原住民歌謠，成果斐然，令人欽佩！

支持民俗音樂的採集與調查

視聽圖書館在中華路二連棟五層樓擴大開館後，音樂界熱烈迴響。當時史惟亮、許常惠，以及許多音樂界人士，正在採集歌仔戲、落地掃、南管、北管、子弟戲等，

基金會支持許常惠的民俗音樂採集計畫，並在新成立的視聽圖書館提供資料室，定期舉辦音樂講座、音樂會等。圖為許常惠在視聽圖書館上課。

想要積極加以整理研究，卻苦於經費，無法全面落實。這件事喚起洪建全先生兒時回憶，更激發內心的本土意識及文化使命感。

一九七五年開始，基金會決定撥款資助許常惠教授調查與出版臺灣傳統音樂研究。包括許常惠編《關於臺灣的民間音樂》，以及陳琴姬編輯、許常惠校訂《臺灣民歌資料》。一九七七年，許常惠策畫的第一屆「民間藝人音樂會」、一九七七年至一九七八年第三至五屆「民間樂人音樂會」也錄下了第三屆民間樂人音樂會實況，出版專輯唱片。

史惟亮先生英年早逝之後，基金會繼續支持許常惠先生的民俗音樂採集計畫，並在新成立的視聽圖書館提供資料室，定期舉辦音樂講座、音樂會等。陸續發掘出多位民間藝人，譬如民歌手陳達、歌仔戲第一苦旦廖瓊枝、布袋戲藝師李天祿等。之後，許常惠發起頒發「薪傳獎」，敦促政府重視民間藝人、民族音樂與各種手工技藝的傳承。許常惠還與音樂界人士發起創立「中國民俗音樂研究中心」，蒐集各種民族音樂資料、舉辦民間樂人音樂會等推廣活動。視聽圖書館共襄盛舉，順理成章地把所有音樂資料都捐出，以壯大民俗音樂中心的聲色！

再唱一段思想起：陳達的出現

記得有一天，許常惠老師來視聽圖書館找我和林宜勝館長，很興奮、不停地說：「屏東鄉下，有個近乎半瞎的藝人叫陳達，無親無故，孑然一身，抱著一把月琴到處遊走吟唱，即興彈唱，出口成歌。」

「所以他都是即興表演？還是有一定的歌詞？」我問他。

「陳達的歌有一種濃郁的鄉土味，歌詞即興渾然而成，有感情極了！」又說：「他貧病交困，有一次因付不出醫療費，竟以彈唱〈思想起〉來抵付啊！」

「如果能錄製他的歌謠，不就等於記錄了恆春的歷史和風俗？也幫助了老人家。」這是我們談出來的共識。

我們深知蒼老的歌聲得趕緊搶救，千萬別猶豫！於是開始贊助民間音樂蒐集計畫，用以豐富視聽圖書館館藏。也想辦法改善陳達的生活，先是每個月寄兩千元生活費到屏東，讓老歌手可以安享晚年，同時請陳達上來臺北，將他介紹給音樂界認識。

一九七七年，高齡七十一歲，小名「紅目達仔」的陳達終於來到臺北，不僅在洪建全視聽圖書館演唱，還到其他的民歌餐廳演唱；陶曉清所主持的中廣流行音樂節目更發通告，邀請他到現場彈唱，與聽眾在空中相會。各種媒體報導，形成一股「陳達熱」。然而陳達不喜歡臺北，也不適應都市生活，他很想念遠在恆春的小屋與自由自在的生活方式，時不時就叨唸著要回去。

陳達的月琴和歌聲太迷人了，非常有特色。彼時的臺灣，民歌正在興起，中西文化交集之下，這種深具價值卻屬於小眾的音符不斷跳出，雖然不是大眾媒體矚目的焦點，卻慢慢聚來許多知音的珍惜及鼓勵！

《陳達和他的歌》原來只是很小眾的唱片，銷路有限，默默發光。一九七八年，雲門舞集創辦人林懷民編製《薪傳》時，就因為聽過唱片，深受感動，於是南下請陳達彈唱與錄下了〈思想起〉。

林懷民將《薪傳》獻給故鄉嘉義。首演當天，十二月十六日凌晨，美國政府宣布與中國大陸建交，臺灣國際處境丕變，低迷的氣氛瀰漫在嘉義體育館之中，六千名觀眾，隨著陳達的歌聲，與舞者的肢體呈現，一步步走入臺灣的悲歡歲月中。陳達充滿滄桑的衰老嗓音，訴盡先民來臺為生存打拚的艱辛與心酸，在場觀眾無不為之動容，一種「絕不能辜負祖先」的氛圍籠罩全場。

林懷民告訴我，他站在後臺邊看邊掉下了眼淚，故鄉民眾被歌聲、稻禾與舞蹈所

陳達的歌聲因為唱片出版，因為雲門舞集的《薪傳》演出，到處流傳，人們的內心讓〈思想起〉的歌聲深深觸動。一時之間臺灣人共唱一首歌，彷彿一條無形的繩子，把大家緊緊地綁在一起，更加認同臺灣這塊土地了。

感動，這是土地的力量，也是故鄉之愛！

不僅林懷民，許許多多的臺灣民眾同樣受到打動，當年在建中就讀的蔡政憲，而今是訊聯科技公司的負責人，無意間聽到陳達〈思想起〉的歌聲，全身顫動驚為天人，到處尋找唱片。他告訴我：「我那時差一點因為陳達的歌聲而改考乙組，最後被勸阻了。理智讓我進入臺大化工糸，內心深處卻還是嚮往音樂，尤其想念陳達的歌聲。」

蔡政憲後來成為我兒裕鈞在「青年企業組織」（Young President Organization, YPO）的伙伴。知道裕鈞是洪建全先生的長孫，也是基金會的常務董事，大為驚喜，多次表達對於陳達音樂的念念不忘。裕鈞為此，特別到基金會倉庫翻找庫存少量原版《陳達和他的歌》唱片，送給這位陳達的粉絲作為五十歲生日禮物。而我這個媽媽的地位，在孩子的心目中也大大提升。

這張「陳達抱著月琴的沉思」唱片封面，是當時在書評書目出版社工作的劉宗銘手繪。劉宗銘曾獲得第一屆洪建全兒童文學獎圖書故事組首獎，他的設計透露某種童趣，很能傳達陳達內心深處的幽微神祕。

陳達的歌聲因為唱片出版，因為雲門舞集的《薪傳》演出，到處流傳，人們的內心讓〈思想起〉的歌聲深深觸動。一時之間臺灣人共唱一首歌，彷彿一條無形的繩子，把大家緊緊地綁在一起，更加認同臺灣這塊土地了。

支持雲門舞集，用自己的音樂跳自己的舞

基金會與雲門舞集的淵源很深遠且長久，更早於〈思想起〉的因緣。

一九七四年的某一天，林懷民穿著拖鞋，背著長條木匣裝著一張大海報來到基金會來找我。

他說：「雲門要跳《白蛇傳》，編舞、舞者、舞臺設計都是臺灣自己人，我們很希望音樂創作也是臺灣音樂家，缺少音樂編曲、錄音製作經費，很希望洪建全基金會能贊助。」

「雲門想請哪位音樂家作曲呢？」

「賴德和老師。」

「如果基金會可以贊助這次要演出的音樂創作、編曲等製作費，此後要演出這個舞目，節目單都會特別標記說明：洪建全基金會贊助委託作曲暨錄音製作經費。」

林懷民將權利義務及後續都說得清楚明白，正合乎洪建全先生經營企業的精神。

林懷民編舞時感性，管理與行銷舞團時理性，理性與感性拿捏得當，表述條理分明很有說服力。我把他所說的話，一五一十轉述給公公聽。雖然他們那一輩人不太了解為什麼這些年輕人要打赤膊，光腳在舞臺上扭動跳舞。但洪老先生卻很欣賞林懷民這位年輕編舞家的理念與行動力。換個角度，從企業家觀點來評估這個贊助案，認為實際有效很有說服力，便毫不猶豫，一口答應！

基金會自一九七四年開始對雲門舞集的贊助，支持臺灣音樂家譜曲與錄音製作，「用自己的音樂，跳自己的舞」。計有：賴德和的《白蛇傳》、許博允的《哪吒》、李泰祥的《吳鳳》、馬水龍的《燭》、史惟亮的《小鼓手》、馬水龍的《冥路》、賴德和的《孔雀東南飛》、溫隆信的《看海的日子》、戴洪軒的《過客》及李泰祥的《射日》等。

一九七〇年代，洪建全基金會能夠支持一流的藝術家，讓他們相互激盪，真是十分美好的經驗。雲門舞集作為一個起點，也是此後洪建全基金會展開以「文化贊助來播種」的開端。

洪建全基金會贊助雲門舞集由音樂家賴德和創作的原創音樂《白蛇傳》。也就是從這個起點開始，開啟了洪建全基金會以「文化贊助來播種」的開端。(雲門舞集提供)

推動現代民歌風潮

繼支持雲門舞集的編曲與錄音，一九七五年，另一件音樂盛事朝我走來，我沒有任何預期，一切都因羅曼菲的一場邀約。

一九七五年六月六日，好友舞蹈家羅曼菲約我去中山堂聽一場「中國現代民歌之夜」。她說：「靜惠姐，妳一定要來，現代民歌和流行歌不一樣，楊弦把余光中老師的詩譜成曲，很有特色喔！」

我懷著幾分好奇，來到中山堂，前半場楊弦演唱了各國的創作民謠，後半場，他悠悠唱出為詩人譜寫的八首歌謠，確實讓人耳目一新。當時大學生流行的多半是中國藝術歌曲或西洋歌曲，並沒有屬於自己的歌！

當下我眼見身穿著白襯衫和牛仔褲，手裡抱著木吉他的青年民歌手，口中朗朗唱出余光中的〈鄉愁四韻〉和〈民歌手〉，真覺得「唱自己的歌」意義非比尋常，值得推廣，不該演唱會一過就成了絕響！

陶曉清當年是火紅的廣播節目主持人，她的心情想必也和我一樣熱切激動，此後不但在中廣西洋流行音樂節目裡播放楊弦及民歌手的中國現代民歌，更參與製作，推

楊弦錄音完成了《中國現代民歌集》，讓原本只在音樂會現場才能聽到的民歌，得以透過黑膠唱片，以及廣播電臺無遠弗屆的傳播力，掀起臺灣現代民歌運動一波又一波的風潮，對臺灣的流行音樂產生巨大的影響。

動甚至帶領民歌手到處「唱自己的歌」……

她說：「創作現代民歌是一條剛剛走出來的路，這一顆種籽也才剛剛埋入土中。這裡有一群打先鋒的人，在這起步的時期，他們都願意不斷地試驗，不斷地改進，而推動它最有效的途徑就是出版唱片。」

我十分贊成她的說法，於是開始贊助「現代民歌」、「我們的歌」系列演唱會，出版民歌唱片。

一九七五年暑假，楊弦投身錄音，九月裡完成了《中國現代民歌集》母帶，讓原本只在音樂會現場的聽眾才能享受的民歌，得以透過黑膠唱片，以及廣播電臺無遠弗屆的傳播力，掀起臺灣現代民歌運動一波又一波的風潮，對臺灣的流行音樂產生巨大的影響。

當時基金會完全沒有出版唱片與發行的經驗，我完全憑藉一股熱忱，認定了這件事應該做，大膽創新與嘗試，不計盈虧，陸續推出《中國現代民歌集》和《西出陽關》。這兩張唱片啟發後來很多民歌詞曲作者，也讓唱片市場發現了流行歌曲之外的一股清新力量。基金會對於智慧財產權處理態度，也超前當時臺灣音樂業界的習慣做法，這兩張唱片用的是版稅制，不是當時唱片行業習用的一次賣斷。

作曲的楊弦和作詞的余光中先生透過這兩張唱片銷售，也都獲取版稅。那些年，余先生在香港中文大學教書，由於外滙不便，我還藉著送版稅給余先生去了幾趟香港，余先生開著車帶我遊沙田，還介紹認識好幾位當年在中大教書的學者，包括陳之藩教授，真是一段難忘的記憶！

洪建全基金會始終秉持「播種的原創精神」，抱持「但開風氣不為師」基本原則去推動文化藝術事業。後來現代民歌因著「金韻獎」的舉辦更加蔚成風潮，一時之間臺灣年輕人都在「唱自己的歌」，民歌穿過大街小巷更走進校園。眼見民歌演唱、唱片製作已進入市場化，基金會就不再參與民歌唱片錄音與出版，轉而去尋找更需要灌溉的田地，繼續開拓耕耘。

第 11 章

那些年
我們一起聆聽的音樂講座

大提琴家卡薩爾斯在《白鳥之歌》一書中說：「老邁之後，年齡只是一種相對的事物。如果你不停地工作，而且接受這個環繞著你的世界的美麗，你就可以察覺到，年齡並不必然意味著年歲的老大。至少現在我覺得許多事物，比以前來得積極緊湊，而生活比以前更令人炫目不已。」他寫下這段生活感受時，時年九十三歲，有著澄明的心志與智慧，最打動我的莫過於一個人無論年歲多高，只要能享受藝術，生活就是豐美無比的。

回顧這些往事，準備退休的我，正進入八十歲，因著投入基金會五十年的因緣，能接近文學音樂藝術，雖未能專精，卻是自在悠遊，真是幸運！

林宜勝館長專業又嚴謹

一九七五年九月二日下午三點，洪建全視聽圖書館在南京東路三段九十六、九十八號隆重開幕！

時任教育部長的蔣彥士蒞臨，給予正面的肯定支持，順利開幕了！更讓基金會不得掉以輕心，兢兢業業經營這個新穎的圖書館。

邀請林宜勝擔任館長，眾望所歸，他是音樂學家，在國內音響學與錄音學上，是著稱的權威，更是一位才子，他的為人看似名士派，做起事來卻一絲不苟，嚴謹認真。

林宜勝臺大外文系畢業，是洪家兄弟的好朋友，音樂素養極高，小提琴拉得很好。他是個極純粹的藝術鑑賞者，認真踏實，工作態度亦然。比如：對原版唱片的編目就非常細膩與執著，是按照正規圖書館的編目管理，一張唱片要編四種索引卡片：按作曲家、演奏者、樂團、曲目等檢索，其他細則更是不勝枚舉。那時候沒有電腦，這麼細密的索引目錄對讀者當然是很方便，但是對一個民間的圖書館來說，人力經費的負擔就很大。

當時林宜勝還主持《國際視聽月刊》，為了要達到普遍服務的理想，不惜重資印發精美而內容充實的月刊，以贈閱的方式協助文化的推廣。不僅刊登視聽圖書館的活動訊息、介紹館藏也兼及樂壇動態、樂史軼事、樂曲介紹以及錄音、音響的技術等，也把舉辦的講座內容整理成文字，刊登發布讓更多人也能分享實況。

首創音樂講座名家導聆

視聽圖書館還會特別規畫一系列音樂欣賞會、音樂與音響講座、播放世界著名指揮及樂隊演出錄影實況等，引導社會大眾進入音樂的殿堂。那十五年間（一九七五～一九九〇年），許多海外留學生紛紛回臺，社會正是一片欣欣向榮。我們躬逢其盛，不是在企業界附驥尾，而是在文化界另闢天地。我們突破圖書館的刻板經營，接受新的、動態現場的演講、演奏等等。把在國外看到的圖書館景象，想辦法在這個小小場地重現。

進出館內的音樂學者專家非常多，諸如：許常惠、史惟亮、溫隆信、游昌發等名家都是常客。其他如：許博允、潘皇龍、賴德和、郭小莊、陳必先、韓國璜、趙琴等名人，都曾來此講座與示範。現在各大表演現場演出前有導聆，而我們很早就開始安排藝術家來圖書館，在演出前辦理講座，可謂開風氣之先。

記得圖書館剛開幕沒多久，還侷促在南京東路的三樓。基金會剛贊助雲門舞集臺灣作曲家賴德和創作《白蛇傳》的配樂，視聽圖書館為此特別邀請賴德和先生舉辦創作曲發表會。可惜當時圖書館位置偏僻，演講當天又逢大雨滂沱，聽眾僅二、三人到場，場面有點尷尬，同仁不知如何是好，但我堅持一定要舉行。

我告訴同事：「辦活動別在乎人多或人少，而是內容有沒有價值！而且願意冒雨到此的聽眾都一定是愛樂者。」不論人數多少，照樣舉行，因為這是一個儀式，更是對聽眾與藝術家的尊重，向來是我經營基金會的原則。

視聽圖書館開辦後，深受社會大眾矚目，特別是視聽圖書館邀請了劉岠渭教授舉辦音樂講座，成為臺灣愛樂界的一大盛事。

一九八三年，劉岠渭教授取得國立維也納大學音樂學博士學位，旋即返回臺灣，視聽圖書館請他來主持音樂講座，不僅引起轟動，並開啟音樂聆聽欣賞的風氣。劉教授在視聽圖書館與之後成立的敏隆講堂主持音樂講座，一直都是高朋滿座，一位難求。劉教授以「講解式」將音樂欣賞帶入民間課程的風氣，不僅聽音樂還了解音樂的內容，讓古典音樂深入社會各角落。

從一九八六到二〇二一年超過三十六年，劉岠渭永遠是熱情洋溢，全心投入，傾囊相授，散播音樂種籽。

視聽圖書館的音樂教育有西方古典音樂也有傳統國劇介紹。

視聽圖書館有音樂欣賞會、音樂與音響講座、播放世界著名指揮及樂隊演出錄影實況等，引導社會大眾進入音樂的殿堂。當年進出館內的音樂學者專家非常多，如：許常惠、史惟亮、溫隆信、許博允、潘皇龍、賴德和、郭小莊、陳必先、韓國璜、趙琴等名人，都曾來此講座與示範。圖為賴德和（左）與劉岠渭（右）。

曲終人不散的視聽圖書館

隨著臺灣的經濟環境逐年改善，國民所得普遍提高，電器用品越加普及，視聽器材更是日新月異，而視聽圖書館的設備卻越來越老舊，大眾的需求也越來越低。一九八九年視聽圖書館結束，一九九一年，基金會把所有的有聲資料、設備捐給劉岠渭教授所擔任系主任的國立藝術學院（後改名為臺北藝術大學），時任視聽圖書館的林宜勝館長也在該校任教，這樣的安排也是順理成章。

視聽圖書館雖然曲終人散，但是當年的因緣卻繼續綿延：好些位後來在樂壇上頭角崢嶸的人才，像是音樂製作人李壽全及指揮家邱君強，當年他們還是學生，都是視聽圖書館的會員，也在此結下了走向專業音樂道路的機緣。

陶曉清女士屢次在大型民歌演唱會上，感謝基金會當年對民歌出版的贊助。胡德夫先生有次在洪家兄弟的生日宴上，說起當年在視聽圖書館錄音室所留下的歌聲與創作，無比珍貴。許多來自各方的真摯迴響，都彷彿是一首沒有休止符的樂曲，持續交響在島嶼之上。

視聽圖書館雖然曲終人散，但是當年播下的因緣卻繼續綿延，許多來自各方的真摯迴響，都彷彿是一首沒有休止符的樂曲，持續交響在島嶼之上。圖為中華路五樓的音樂廳。

第12章

洪敏隆開啟文經學苑

世人對先夫洪敏隆多半只看見他成功企業家理性的那一面，不太認識他感性浪漫一如詩人的性情，他也有文青時代，骨子裡與我都有對文學藝術的共同嗜好。

敏隆與我的婚姻是雙方父母安排的媒妁之言。看似老派，其實我們下決定之前，曾經過坦誠長談，我們都熱愛文學、喜歡閱讀，一見面彷彿有談不完的話。

我告訴他我少女時代的故事，在家打工，賺零用錢，看小說，看歌仔戲，還瘋看電影。敏隆則坦承念淡江英專時，常與同學逛彈子房，在路邊攤隨興喝酒等年少輕狂的往事。他說完，還有些懊悔：「嚇著妳了嗎？」

我笑答：「喔，從小在家我也常見到父親喝酒的情況，沒什麼大不了……」

他又告訴我，一九六〇年代在日本念早稻田大學時，為了追看半夜播出的老電影《愛染桂》（一九五〇年代轟動臺灣的日本愛情文藝片），特別設定鬧鐘爬起來收看。聽似年少痴迷，荒廢學業，我卻覺得真摯感人。

這一股浪漫情懷，正是敏隆在企業經營之外的內心投射，也是日後接引松下「素直心／真誠純樸」加入基金會關懷所在的起點，更是當初我們彼此互相吸引之處。

然而，一九七〇年代返回臺灣之初，兩人都捲入家族事業及現實責任的漩渦，忘了偶爾應當跳脫忙碌，或是保有自我彈性轉換的空間，說不定壓力就能稍微緩和，而

敏隆與我的婚姻是雙方父母安排的媒妁之言。看似老派，其實我們下決定之前，曾經過坦誠長談，我們都熱愛文學、喜歡閱讀，一見面彷彿有談不完的話。圖為1966年3月，洪敏隆與簡靜惠在日本箱根。

更能持盈保泰。

長子的承擔與家業重擔

洪敏隆的地位及角色讓他無法輕鬆快活，他必須承擔上一代家族企業交付的使命，乃至世人眼光的各種期待，那是傳統倫理上「長子」的責任。事業傳承時的各種衝突因之無法避免，我受命在家族企業內擔任財務工作，與敏隆共事，也因受到公公信任器重，常常作為他們父子之間的溝通橋梁。這些點點滴滴，如今想來雲淡風輕，當年卻是夫妻家庭之間的大事。

敏隆在一九八七年接任臺灣松下電器公司董事長，他便思索如何展現、實踐自己抱負，同時轉化中日雙方經營上的緊張關係。

早在一九六二年起，日本松下幸之助與臺灣洪建全兩位先生簽定雙方經營合約，重點採取「產銷分營」：國際牌電器不論是日本或臺灣所製作生產，銷售權完全委由洪家企業經營。然而，隨著時代演進，市場發生改變，於是到了八〇年代，日方提出修約而有「產銷一元化」的提議。

1987 年，洪敏隆擔任臺灣松下董事長，獨排眾議，認定「產銷一元化」是走向合理經營的必然趨向。

基於當初的約定，以及企業經營的利害關係，洪家反對這一改變，與日方形成很大的對立。敏隆卻獨排眾議，認定「產銷一元化」是走向合理經營的必然趨向。產業剛起步時，採取「產銷分營」確實有其必要性，如此方可以透過專業分工經營，達到最好的成效。然而，等到產業經濟繁榮，市場競爭劇烈之時，那就必須縮短生產與銷售管道，如此方能掌握商機，立於不敗之地。

敏隆深知「產銷不一致」會增加協調成本，形成多層無形浪費，不僅是投資者的利益損失，也是消費者的損失。對於日方調整合作關係的呼籲，他其實早有心理準備，況且危機何嘗不是另一種轉機？他抱定「把生命豁出去」的態度，決心全力以赴，坦然面對即將來到的一連串艱鉅談判。正當精神壓力無比巨大的這一時刻，我們一起參加「激勵營」所舉辦的一系列「生命扣問」課程，與有緣前來的同修們有了「生命與共」的情誼，更重要的是，解除了我們兩人累積多年的內在困境！

自身的生命扣問

敏隆回臺灣接班時，正是洪家事業飛黃騰達之際，昔日南來北往的縱貫鐵路，經由中華商場而駛進臺北車站，映入旅客眼簾的最重要地標，當屬聳立在中華商場頂端「National國際牌」紅色霓虹燈塔，那是屬於全臺灣人的城市印記。我也因基金會的發展受到肯定，被表揚為第七屆十大傑出女青年！然而風光的後面卻蘊藏著極大的苦悶和焦慮。我們正身處三代之間、夫妻、家庭與事業糾結、子女教育的困境等。

一九六九年，我與敏隆結婚返臺之後，一直生活在大家庭裡，我因受到公婆重視，家族大小事情都交辦給我。最早是公公信任我，讓我去監工淡水招待所暨宅第。接著，公司慶典紀念會和家裡大小宴會也都會交辦給我。久而久之，我顯然受公婆較多的重視與信任，這讓敏隆乃至家族同輩都不以為然，讓我相當不安。身處家族企業，家庭生活其實與企業息息相關，平日氣氛話題幾乎都圍繞著臺灣松下與國際電化兩家公司的營運、股權等問題上打轉。白手起家的上一代始終堅信自己是第一能手，身為第二代長子的敏隆背負傳承重任，卻永遠遭到質疑挑戰，即使有更多更好的構想也難獲肯定，敏隆內心很是悲苦壓抑。

敏隆曾留學日本，並且在日本松下實習過，深深了解日本松下的企業文化，也與當時日本松下高層幹部熟識，他們都是敏隆早年在松下實習的同期生，有著一定的同輩情誼。無奈父子兩代之間存在「無形的代溝」，公公始終聽不進去敏隆的企業經營理念，卻要我這外行、外來的媳婦居中溝通，真是情何以堪！這是存在於現實的代溝，也是敏隆與他父親的宿命！

我身處其間，糾結難解的不僅公事爭執、父子僵局或兄弟爭端，更常擔任傳話者、溝通者、說服者，令我十分困擾，也影響到兩人的日常溝通以及家庭生活。

當時住進臺北郊區淡水大宅邸的我，尚無捷運可代步，上班只能搭乘男士們的便車一起出來，下班後早早回家，畢竟兒女年紀幼小，正是需要母親全心呵護的年紀。當時產業經銷模式與現在大不相同，完全得靠全臺各地經銷商構成物流網，一切都是「面對面」的實體行銷。彼時敏隆公事忙，商場應酬頻繁，他又貪杯，若遇到父子爭執而心情不好，往往借酒澆愁愁更愁。在沒有手機、視訊可以及時聯繫的年代，每晚總要等敏隆平安回到淡水家裡，我的一天才算結束，這時牆上時鐘常常已指著十點、十一點或是半夜了。

在洪家的大宅裡，我們的房間在一樓，動見觀瞻。敏隆幾乎天天應酬，都不回家吃晚飯。他不喜歡面對父親：「白天已經够煩了，我不要回家還要看到他們！」而我每天不僅兩頭忙碌，有一陣子還不甘願放棄所學，在文化大學兒童福利系兼課，白天上班，晚上備課，簡直忙得天昏地暗！往往兩個孩子都睡著了，一抬起頭來才發現：

洪敏隆雖然身兼家族長子的壓力，
但非常疼愛兩個小孩。

「怎麼轉眼就十點了，敏隆還沒回來啊？」

守候等待的心情，充滿懸宕與不安。不知道這個人在哪裡？天這麼晚了，路途遙遠，晚上習慣自己開車的他，會否發生交通事故或意外？種種胡思亂想，越想越可怕，真是有苦說不出。一直要等聽到汽車喇叭響起，院子大門開了，汽車駛入，一顆忐忑的心才安定下來。

此時娘家大姊已出國，弟妹都比我小，朋友們也都處於忙碌的生活之中，妯娌那就更不能多說什麼了。回到娘家時，在自己媽媽面前還要強顏歡笑裝美滿，在公婆面前則不時要替敏隆掩飾彌縫，那真是一段灰暗不快樂的日子！

還好在這段苦悶的日子裡，尚有些許微光：敏隆興起建構「文經學苑」的想像，帶領我走向另一個思想與實踐的新領域。

文經學苑的精神

一九八〇年代，敏隆剛剛邁入不惑之年，他卻感覺人生彷彿缺少了一些什麼。他對我說：「總覺得自我的意志、形象和多元化的產業結構有些格格不入。」他很想多做一些事，也覺得自己可以、應該有更多作為。

敏隆早年在日本松下電器實習前，曾就讀早稻田大學。雖說彼時正值日本學生運動最為激烈之時，衝突頻仍，大學時常處於罷課狀態，學生卻有更多時間去閱讀、遊藝。因緣際會，敏隆對於松下幸之助為了淨化人心，重建社會倫理，提倡「透過繁榮達到人類的和平與幸福」（Peace & Happiness through Prosperity,PHP）的宗旨，相當佩服，因此興致勃勃地想去參觀這個研究、出版及人才培訓的機構。

一九八三年，他第一次參與ＰＨＰ研究所舉辦的研討會，果然受益匪淺。一九八七年十月，敏隆帶我一起參加ＰＨＰ友會在北海道舉行的日本全國大會，開啟雙方的合作。接著臺灣成立「ＰＨＰ素直友會」開始與日本ＰＨＰ友會進行交流。臺灣的「素直友會」乃附屬於洪建全基金會的學習型組織，由我擔任總會長，訓練志工成己助人，迄今已達三十四年。

敏隆與我都很欣賞更佩服松下幸之助倡導的ＰＨＰ精神，以及種種實踐行動。松下先生曾於一九七九年捐出十億日圓的個人財產，創辦「松下政經塾」，這一舉動，轟動一時。松下幸之助的理念很簡單：「不只企業需要靠優秀的人才來經營，國家也是一樣。」因此他願意奉獻心力，透過「政經塾」，培養二十一世紀實踐「繁榮、幸福、和平」的政治經營人才，促進戰後日本的繁榮。

前輩企業家的胸襟與氣度，敏隆見賢思齊也想在基金會創辦「文經學苑」。一九八三年起，我們開始構思、策畫與籌備文經學苑，並於一九八四年九月正式成立，由洪敏隆擔任苑長。基金會除了兒童文學創作獎、視聽圖書館繼續運作之外，也開始拓展新的領域，有了新的角色：把文化課程導入企業教育訓練，促進文化與經濟的結合交流。敏隆首先從國際電化公司著手，希望假以時日，能夠推廣至各公司企業。

文經學苑推出由陳怡安教授主講的「豐富人生系列講座——積極自我的開拓」，獲得各方熱烈迴響。緊接著繼續邀請各領域專家，規畫不同主題的「豐富人生系列講座」，堅持以人文精神為主軸，討論當代人的工作、生活與人生價值。

「文經學苑」講座重視人生思考，關注人文精神，恰恰反映出敏隆對於人生終極價值的思索：人生在世，到底為的是什麼？事業的成敗究竟有何意義？我們應該如何經營出和諧、充實、圓滿的人生？更重要的是，這也是敏隆想以自身的創新能量，奉獻臺灣這片土地、政治、文化的高度關懷。

1988 年，洪敏隆和簡靜惠夫妻兩人赴日本
訪問 PHP 研究所。

第13章

文經學苑的具體實踐

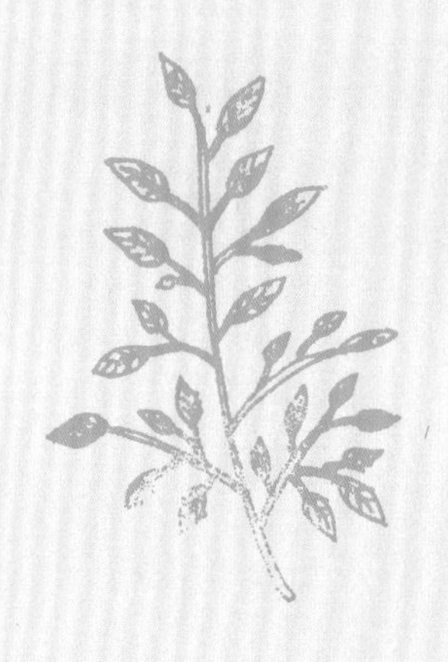

文化是雲，經濟是石

成立文經學苑是敏隆的心願，他曾將所思所想寫成文章〈雲和石〉在《自立晚報》專欄登出。內文如下：

一九八三年間，我參加日本PHP研究所的企業經營者研討會，一共三天二夜，內容是人生觀的探討、經營學，以及視野的拓建。回來後，內心有著很深很深的激盪，類似這種以經營哲學及擴展現代胸襟的課程及研討，在臺灣也應該有！因為企業人需要的不僅是企業經營的知識及方法而已，還應該有「人文」，也就是對「人」的認識及關懷。於是有把「文化與經濟」做結合的念頭。

在我的思考和行事上，常有「雲和石」的掙扎。

把雲和石，比喻為文化與經濟，是我的一種想法，也是一種期待，期待在經濟帶動社會繁榮的同時，也能留意到人們的生活品質。二者，有時會衝突，有時也會遙遠不可及，但是，雲彩有雲彩的美，石頭有石頭的可愛，如何將兩者結合，其主力在人。

1983年間，洪敏隆參加日本PHP研究所的企業經營者研討會後，內心有著很深的激盪。他認為這種課程及研討，在臺灣也應該有。企業人需要的不僅是企業經營的知識及方法而已，還應該有「人文」，也就是對「人」的認識及關懷。於是有把「文化與經濟」做結合的念頭。
圖為1986年，洪建全、洪敏隆、簡靜惠、陳怡安、林宜勝、徐秀華、王永福等人拜訪日本PHP研究所。

現代的社會有著多元的價值。企業界不能單純以眼前的企業經營成功為滿足，當企業的經營者有著「遠景及自我的期許」，有文化的使命，則是「石頭」攀上的「雲彩」。

當然，談文化也不是學術界的專利，當文化人有著使命感，而欲將學術散播、貢獻給企業界以及廣大的社會時，此刻即是「雲彩」下落成「巨石」。

洪建全文經學苑即是「雲石」結合的驗證。以文化為前導，以經濟做基礎，提供各種可能的機會，提升及精進人文素養。敏隆本就是個善於思考但話不多的人，而轉化他的想法，促成文經學苑實現的主將是陳怡安教授，他以對話引導的課程，深受歡迎。

陳怡安老師帶來的感動

記得大概是一九八三年左右，我面對家庭、工作與各種的衝突，內心非常痛苦，無處可訴，幾近崩潰！有一次還會跑到父親的墳前哭訴，很希望能聽見父親爽朗又幽默的回應，安撫我的心亂與沉悶。

就在那一剎時，我耳際響起父親說過的話：「要面對問題，要想辦法解決問題！」當下，我頓時明白，一切得靠自己去解決！若個人力量有限，就得藉助外力。

透過朋友介紹，得知有位陳怡安老師，不僅開設敏感度諮商課程，也願意擔任個人及企業顧問。我是個即知即行的人，獲知陳老師借用長安東路附近一家公司會議室開課的情報，手邊還沒有確切地址，便立刻出發了，可見相當急迫！不料我在長安東路來回徘徊，卻遍尋不著，在那個沒有手機的年代，偏偏手邊又沒有銅板，厚著臉皮向路人要了一塊錢去打公共電話，方才問清楚位置，找到陳老師上課的所在。

進入教室後，只見陳老師的四周圍著一、二十位學員，有上班族也有家庭婦女，老師正在分析個案。我聽得入神，見識到陳老師苦口婆心地與一位面帶憂傷、幾近絕望的婦女對話。她一邊聽、一邊掉眼淚，偶爾回應一二句，漸漸鬆懈心防，說出內在更多苦楚委屈，漸漸進入問題的核心，當下聽眾釋然，我也深受感動！

陳怡安老師是英國曼徹斯特大學哲學博士，曾經擔任過美國敏尼格行為科學中心諮商督導，以及美國國際訓練學院院長，有著豐富的人文知識和諮商輔導的技巧。他與敏隆一見如故，兩人格外投契。敏隆特別延聘他為國際電化公司與洪建全基金會的顧問教授，也接受陳老師為我們兩人做婚姻輔導。

洪敏隆投身文教事業

敏隆有著濃厚的文化人性格，一心關懷臺灣的人文與公司的經營。若能有所選擇，文教事業可能更符合他的志趣。他曾笑著打趣說：「我們要不要來換位子？我當基金會執行長，你來國際電化當總經理？」

「哈，我才不要！當初我可好不容易才從財務經理逃出，轉到文教基金會呢！」當時的敏隆也掉入同樣的困境，但「身不由己」是他身為長子的宿命呀！

我基於對敏隆的了解，想著如何把他思考出的理想，以及對松下幸之助經營理念的啟發而決定以「文經學苑」的理想置入正逢轉型發展的基金會。

經討論確定「文經學苑」的服務對象，乃是掌握臺灣生存發展的企業人。歸納基本理念如下四點：一、人文風格的表現與推展。二、先鋒知識的推動與運用。三、大眾意識的激發與教育。四、經營模式的創造與建立。根據這四個理念，圍繞著「人」的主題，舉辦系列講座、課程、出版與研究，當可探觸到當前時代裡，大眾心靈所面

文經學苑推出由陳怡安教授主講的「豐富人生系列講座——積極自我的開拓」，獲得熱烈參與。陳怡安所帶領的「激勵生命方法研習營」強調以人為中心、尊重生命；方法上則強調傾聽接受、平等回應，讓參與者透過理論與自身經驗，統整或重新解讀個人的生命經歷，激發生命潛能與善良。

臨的苦悶，呼應時代的迫切需要。

激發生命潛能的激勵營

一九八〇年代，敏隆以「文經學苑」模式，參與洪建全基金會的轉型發展，舉辦過許多與企業相關的大型演講、座談及課程，其中最具代表性的首推「激勵生命方法研習營」。

激勵營由陳老師帶領助教與學員，透過演說法、研討法、實務作業法……等課程引導，從尊重生命開始，激發潛能，熱愛與讚頌生命，進而扮演好自己的角色。這種以人性理論為基礎的課程及訓練，強調在「以人為中心」、「尊重生命」；方法上則強調「傾聽接受」、「平等回應」，讓參與者透過理論與自身經驗，統整或重新解讀個人的生命經歷，激發生命潛能與善良。

從一九八六年到一九九八年這十三年間，激勵營總共舉辦了五十四個梯次，研習課程不下二十種。大都在回應時代變化，觀察社會發展趨勢，以涵養學員的人文素養與效率，透過接納、激發自我，形成一股無形、寬廣和包容的力量。

我與敏隆也都投入，學習到各種理論、方法與經驗。整合之後，在生活中獲得印證，即是所謂的「意識會談法」。我將之運用於日後發展的「讀書會帶領人培訓課程」上。當讀書會在共讀一本書時，帶領者可透過有次序設計的問題討論，跳脫個人的經驗、思考與感動，而進入書的內容，可以有更寬廣、開濶的視野，讓成員產生共鳴。

洪敏隆的積極與真實無偽

那些年，敏隆英年正茂，意氣風發，當時天下雜誌出版《臺灣奇蹟創造者群像》，二十一位「企業領導人」圖像，我們夫妻同時名列其中，記錄下難得的一刻，也共同攀向人生的巔峰。

然而，「世間好物不堅牢，彩雲易散琉璃碎」，世事無常，抵擋不住生命之神的召喚。一九九〇年元月，敏隆剛剛結束國際電化與臺灣松下產銷一元化談判，相關業務與人事都已完成整併，細節安排雖未必臻於完善，卻絕對是大費周章、勞心傷神的大工程。敏隆的身體狀況本已脆弱，不堪磨難煎熬，身心俱疲，不久竟撒手西歸，令人傷心欲絕。

余紀忠文教基金會董事長余範英曾如此描述：「洪敏隆是一位具有積極性格的悲觀者！」又說：「敏隆其從不為自己利益著想，因此坦然，這點不是每個人都能做到的。」

陳怡安先生在敏隆過世後，於他的著作《人生七大危機》中〈卷首：謹以此書紀念好友洪敏隆先生〉特別寫道：「在他短暫的五十二年人生旅次裡，歷經了個人生命情調與傳統長子倫理承擔的衝突，波濤洶湧進退兩難的家族企業國際化的衝折，以及椎心刺骨的肝癌煎熬。但在這些重大人生危機的承受過程中，他仍流露著溫穩、平淡、謙遜、關愛無限的生命風格……」這一段話清晰描繪出敏隆所面對的困頓，以及透過人文精神度過困厄，堅持開展文經學苑的企業家身影。

唯一相對徬徨的是，原本由敏隆主導的文經學苑，在他走後，如何接續完成他的願望？少了他，應該如何因應變局呢？一時之間，我也拿不定主意。不料，一件意外的官司纏身，讓我重新思考基金會與文經學苑的未來。

文經名稱的雙胞案與轉折

一九九二年，就在敏隆過世的第二年，「文經學苑」因為名稱與「文經社出版社」相似，文經社認為遭到侵權，一狀告上了法庭。官司打了一年多。文經社很起勁，我卻覺得非常沒有意思。

那一段時間，因為敏隆過世，心情很不好，我學做拼布手藝自我療癒。滿腦子都是線條及格子，針線更是不離身，走在路上隨時都會聯想到我的拼布圖形。

打官司很折騰人，在繁瑣的訴訟過程中，我實在不耐，內心開始有了轉念：基金會重點在推廣各種教育服務，是為了「社會」而不是「私事」呀！實在不需要堅持使用某種名稱。就算不能用「文經學苑」這個名稱，可以將各項業務回歸到基金會來推動，也可完成敏隆心願，沒有「文經」二字那又何妨呢？

有了這個念頭後，有一次看藝術表演，剛好坐在圓神出版社簡志忠社長旁邊，談起此事，我很委屈說：「沒想到要做好事，還要被告，還要上法院。」簡先生很為我打抱不平，答應去文經社了解一下。

經過簡先生的調解，我更覺得「不要被名稱綁住」的想法是對的，打官司實在無趣呀！於是向法院要求和解：「願意放棄不用『文經』這個名稱。」和解條件也很單純，我拿出十萬元買文經社所出版的書籍，贈送給偏鄉中小學校。當時基金會同仁認為我們很有勝算機會，我卻堅持盡快告一段落。「文經」名稱之爭，就此落幕。

官司雖然落幕，我內心並不舒坦，還是有種鬱悶。只有每週去素直友會的火曜讀書會裡，方才比較自在。在這個聚會裡，我可以不去管什麼執行長、媳婦或媽媽的頭銜與角色，回歸自己的本然，輕鬆自在地學習日文，與大家一起誦讀信條：「以真誠純樸的心，思考、討論、行動！」

和一群志同道合的朋友一起學習、讀書與玩耍。我漸漸醒悟：順著內心的真誠去讀書，去做該做的事，走該走的路，多麼自在開心呀！原來，一切就像松下幸之助先生所說：「下雨了，把傘打開！走出去吧！」

—— 第14章 ——

以素直精神
開創讀書會新模式

二〇一八年秋天，已出任臺灣松下董事長的裕鈞，帶著我及公司主管一起造訪位於日本京都東山山麓南禪寺附近的真真庵。走進散發幽靜禪意的真真庵木門內，我再度被庭園景色所震懾。剎那間，三十多年前的影像浮現眼前：洪建全先生與敏隆先生，意氣風發的一對父子，坐在園內的石椅上與松下先生冥思對話。

那是一九八六年初春，公公、敏隆與我帶著基金會的同仁初次造訪真真庵，綠意盎然的日式庭園正迎接我們，這裡原是日本「經營之神」松下幸之助先生晚年修身養性之所。松下先生的墨寶「道」懸掛在門口，罕見的木紋紅底白字書法藝術，指引著人生之路與經營之道。大玻璃窗前方的庭院，遠眺東山、錦鯉悠遊、綠地濃蔭、苔蘚小徑、赤松細砂、根源神社、茶室靜心、石塔佛像……種種景致，錯落迭現在佔地五千平方米的京都東山山麓，十分幽靜怡人。

真真庵傳來的素直之聲

真真庵係由松下幸之助親自命名，意為「探求真實、真理的靜室」。一九七三年，松下先生八十歲，退休後常在庵內思索人生與企業該走的道路。他提出了自己所認定

2018 年秋天，已出任臺灣松下董事長的裕鈞，帶著我及公司主管一起造訪位於日本京都東山山麓南禪寺附近的真真庵。走進散發幽靜禪意的真真庵木門內，我再度被庭園景色所震懾。剎那間，三十多年前的影像浮現眼前：洪建全先生與敏隆先生，意氣風發的一對父子，坐在園內的石椅上與松下先生冥思對話。

的正確指引：遵循自然法則，傾聽眾人的聲音，路是無限的寬廣！

「松下哲學」深深打動了敏隆，一九八六年的造訪，敏隆格外歡喜，甚至帶有一種興奮。他早就嚮往松下幸之助的經營哲學，更期待一探真真庵的風貌，終於有機會一償夙願，而且是引領洪老先生以及基金會的團隊前來，不僅旅遊采風，更有「取經效法」的意涵，可謂寓意深遠。

真真庵是池泉迴遊式的日式庭園，歷史悠久，以京都東山為借景，院內包含為感恩和祈禱而建造的「根源社」、天平時代出雲國分寺的基石、江戶時代末期的十三層檜恒塔等古物，讓人讚歎不已。最讓我難忘的是，真真庵內地下樓所收藏的各種日本傳統工藝國寶，展現人類智慧與手工藝最高境界的結合，乃人間大美！

庭園內有一口來自廣島、銅鑄的「和平之鐘」，祈求戰爭遠去、世界和平。叩鐘時，「真…真…真…」聲響瀰漫全室，敏隆輕聲告訴我：「你聽，這就是素直之鐘！」原來企業不只提升社會大眾整體生活品質，更應該懷抱創造人類和平與幸福的理想願景。那象徵和平的素直之鐘更是令人印象深刻，繚繞在耳，直到今天。

散播讀書學習的種籽

一九八七年十月，敏隆再度帶領我及日文老師鍾楊壽美參訪京都PHP研究所，參加PHP友會北海道大會。「PHP友會」是以閱讀《PHP月刊》，倡導培養「素直心」的團體組織，在大會中親眼見證素直精神在日本家庭、職場、學校、社區所發揮的影響力。一行人感動不已，敏隆與我都深感：「臺灣應當有類似的組織才對！」然而，敏隆的企業責任及身體狀況，卻容不得他再顧及其他文化責任的追求。一九八七年參與PHP大會後的一九九〇年二月，他留下未償還的願望，撒手人寰。

如果說，洪建全基金會的成立經營，是我懷抱理想的發揮，行之五十年仍然「不忘初衷，堅持公益」，以開創性的文化播種方式，引領時潮新論、回饋社會。那麼，素直友會的成立與參與，就是我個人生活型態的表徵。敏隆在他遠行前，將素直的種籽交給我，我得以「素直心」與朋友歡聚，讀書、運動、培訓讀書種籽。散播出去後帶著種籽講師，逛書店、看展覽，而在享受生活的同時，也散播讀書學習的種籽，可說是「修己助人」的自我實踐。

踏實專心走在「文化」的路上

一九六〇年代，被稱為「文化沙漠」的臺灣，張繼高先生是少數認真耕耘、播種者之一。他積極推廣古典音樂與現代藝術，創辦《音樂與音響》雜誌，推動國外知名交響樂團和現代舞團來臺演出，更是知名的散文家。《書評書目》雜誌剛創刊時，張先生曾約敏隆與我一起喝下午茶，他博學多聞，也樂意與人分享，暢談文學、音樂、藝術和文化理念，讓人絲毫沒有壓力。其後，組成九家雜誌的固定聚會，大家談笑風生，有如古人所說「君子淡以親」，彼此互相分享出版心得。

一九九〇年，敏隆逝世後頭七，我突然接到張繼高先生的電話，約我與兒子裕鈞到他書房晤談。

當時裕鈞十九歲，才剛進入大學，為了父親葬禮返臺奔喪，他是長房長孫，身分格外顯目。自從嫁到洪家，我一直參與公司業務，面對敏隆過世，母子兩人驟然承受關乎家族事業傳承的千斤重擔，各方壓力紛紛湧現。不僅合作伙伴日本松下、家族親友的眼光、敏隆的遺願，關係著我跟孩子們未來發展種種。每一樣都是危機也是考驗，我們母子日後的人生道路，到底該如何抉擇呢？

張先生見面就說：「我看了報紙，知道洪家與臺灣松下企業接班的事情，眾說紛紜，你們想必很困擾吧？」

老實說，究竟要不要接手經營企業，當時的我們一時也拿不定主意……

自從一九六九年敏隆與我回臺灣後，一直參與洪家的事業，與日本松下公司的關係非常密切。日本方面十分敬重敏隆，對我也有一定程度的了解與尊重。所以對接班臺灣松下電器的考量，在兒子裕鈞學業未完成前，曾考慮請我去接班，當然我志不在此，也非我願。

張先生告訴裕鈞：「你還年輕，才十九歲，一定要先把學業完成，培養自己的學識能力，家族事業以後再說。」

接著他對我說：「妳在這樣一個大家族裡當媳婦，千萬不要捲入事業紛爭，甚至也不要戀棧權位。」他又舉了許多例子，說明臺灣社會男尊女卑，家族紛爭相當複雜，一旦碰上爭端：「妳會欲哭無淚，很難想像！」

張先生的一席話，看似平常，卻充滿智慧，彷彿黑暗中的明燈，讓我頓時放下心中徬徨、糾結的思緒，更加堅定自己在文化事業上的腳步。只是我對洪建全基金會的經營不願放棄，畢竟這是我一手培育的成果，是我的志業。

於是我收拾心情全心投入基金會的經營，而且把敏隆留下的財產整理後，捐出自己的這一份給基金會作為基金。以往基金會的財源都是洪家的事業體及個人每年視情況捐贈，在我捐入部分財產後才有基金，可做長期規畫。我也就安心地走出企業，雙腳踏實專心踩穩走在「文化」的路上了！

我告訴同仁：「而今，我把身家生命都投入在基金會了，我們一起好好地開展吧！」

愛讀書也愛遊戲

冥冥中，敏隆似乎早在生前，就已引導我走在一條可以陪伴我後半生的路上了！

一九八六年，敏隆曾帶著我造訪PHP研究所、松下真真庵，一九八七年參與日本北海道PHP之友會大會。回到臺灣後，當時同行的日文翻譯鍾楊壽美老師由衷欽佩松下幸之助的精神，乃號召她的學生們，組成火曜（週二之意）讀書會，研讀並翻譯PHP友會相關資料。我心嚮往之，也參與學習日文及研讀松下言論，但力有未逮。

一九九〇年，敏隆過世後，家族事務紛擾，兒女遠在他方求學。而我個人仍是百無聊賴，唯有參與火曜讀書會時，才稍感寬心。在這兒我可以不必顧及家族裡的角色，不用管我的職位與責任，得以安靜地「做自己」。

我的性格本質裡有著服務人群的熱忱，加上彼時PHP研究所所長江口克彥與常務山口徹時常造訪基金會。敏隆在世的最後那些年，我們時常出入日本PHP研究所、松下政經塾，參與研討會等，對於企業經營與文化的結合心嚮往之，甚至有起而效尤的雄心。

於是我打起精神，號召我的同學、鄰居，以及愛讀書的朋友組成真誠會，開始每雙週或每月定期聚會。而在之前由火曜會延伸的Cosmos會及之後的百合會，以自由自主的方式，突破日本「PHP友會」的形式，不限定讀《PHP月刊》，可以自由選書。

不受「書」的限制，也不拘泥形式。讀書是個人的事，把「書」的範圍擴大，不是課本，也非講堂教室上課。我乃創出「愛讀書也愛遊戲」的讀書會模式，一時之間，我的同學、朋友、學生紛紛響應，蔚成風氣！

真誠會的成員都是我的高中同學，她們甚至跟我嗆聲：「我們已經讀了那麼多年書，又教了那麼多書，好不容易才要退休了，還要我們組讀書會讀書？」我就告訴她們：「不讀，喔！那就不讀，相聚敘舊、互相交流都可以。」

會心橋讀書會的組成是由我的鄰居及高爾夫球友組成，她們在敏隆過世後常陪伴我一起運動，那何不也一起來讀書？於是我邀她們從我家的餐桌上開始讀書！

推動學習型讀書會群組織

一九九二年起，我更加積極地推動「臺灣PHP素直友會」，因著我的資源及人脈，以及組織的概念。當時社會正逢終身學習的風潮，教育部推動讀書會的成立，我乃將我在企業的經驗及在PHP友會的學習，發展出一套讀書會帶領方法的課程。

在運作經營上，將之定位為「附屬於洪建全基金會的學習型讀書會群組織」。我堅持讀書是自己的事，應自動自發。因此酌收會費每人三百元加入讀書會群，由基金會提供聚會場地及協助部分會務，其餘均由志工自理。我自許是其中一員，是在前頭引領方向的頭馬，也是回到群體中的回頭馬，很輕鬆自在參與其間，非常愉快。

二〇〇二年起，更與佛光山「人間佛教讀書會」結盟，擴大在社會推廣閱讀的影響力。爾後，認同「素直」精神而加入友會的讀書會團體相繼成立，一年比一年增多。有別於日本PHP友會，臺灣的素直友會不拘泥形式，以書本為媒介，更重視人

上圖／簡靜惠與友人共讀日文書。

下圖／種籽老師帶領閱讀。

與人的交流與學習。尊重每一個人及各個讀書會的獨立性與自主性，我始終相信：人唯有在最自由、最自在的氣氛裡，方才可以獲得最大學習的快樂。〔注〕

引入PHP素直友會，經營讀書會群，之後竟成為彼時我生命中最重要的救贖。懷抱這樣的覺悟，我坦然地從家族企業中淡出，選擇最熱愛的文化教育事業作為終生職志，延續洪建全基金會人文關懷、教育服務的一貫精神。

三十多年來，友會發展穩健，格外積極活潑生動，隨著時代腳步不停前進，不僅持續舉辦各種讀書會交流、新春茶會、關愛臺灣運動、助人計畫、說寫生命故事、走向成功老化；我親自帶領種籽志工講授讀書會相關課程與講座，譬如：「讀書會帶領人培訓」、「表達與讀書會經營」、「從閱讀到書寫」、「讀書達人談讀書與書寫」等等，除了不停與臺灣各讀書會團體結盟合作，也持續與國外讀書會團體跨國交流，如香港、中國大陸、日本、韓國、美國，菲律賓、新加坡、馬來西亞等地，更協助海外華人籌組讀書會，讓海外華人透過共同閱讀，凝聚彼此的情感。

有鑑於臺灣社會日漸高齡化，「銀髮族」的終身學習需求日增。二〇〇七年起，友會特別開辦講座與讀書活動，成立「關愛家族」社群，與年長者親近、了解、學習互動關懷。數位網路的學習，從3C到4H（健康、快樂、助人、跨領域學習）都有，可說琳瑯滿目。為了迎接網路書寫時代的到來，也會倡議「生命故事」，讓學員說故事，虛擬與實體並進。另外還持續開辦日文學習、古典音樂賞析等，以上種種都受到銀髮族學員的熱烈迴響。

近年來，素直友會透過社群網站成立「素直共讀」平台，利用行動裝置將閱讀、觀劇、看展與聽課的心得，以及時的方式分享。其他如史晨碑讀書會、河洛語吟唱讀書會、西洋音樂欣賞讀書會等，都有不同的學習，以寫字讓人感受到書藝的美好，以及專注帶來的內心寧靜。

注

請見：《一本真情——我在讀書會等你》，簡靜惠著，遠流出版。

第15章

推動成功老化關懷計畫

二〇一九年，我把戴了十幾年的髮片拿掉，頂著一頭灰白捲髮示人，真正走入老年歲月。朋友們先是投以驚愕好奇的眼光，三秒鐘不到，驚歎之後也就過去了，一切釋然！

我發現：「真的沒有人會在乎你的容貌！」

其實，打從很早以前，我就在準備走向老年了！過去只是在觀念、心態及生活方式上因應，早上去國父紀念館晨運，上菜市場買菜等，重視運動和養生。現在開始不刻意打扮穿著了，露出銀髮，內心自在坦然且內外一致地活在日常當下，這應該就是素直的老年生活吧！

共讀、共老也共玩

我剛進入法定老年的六十五歲時非常興奮，樂於享受各種老人的優惠，看電影、表演都是半價。尤其是踏上公共汽車時，一刷悠遊卡便響起「嗶、嗶、嗶」三聲。悲觀的人說：「這是老人的三聲無奈！」

我卻很得意：「這三聲在提醒，我老了，凡事可以慢慢來。」我不是一個人老，在素直友會中，我開心與大家共讀、共老也共玩！

二〇〇六年夏天，素直友會的年度關愛臺灣之旅，到北海岸、龜山島、佛光大學等二日遊，我們在新北貢寮鄉的福隆海濱夜宿一個晚上。各個不同讀書會的會友經過一天的共遊相處，老友舊識從容敘舊，不熟的新人則結交新朋友。這種藉著參與讀書會來穩固友情，同時拓展人際關係，在自然自在交流之中，互相學習新知舊聞，正是素直友會歷久彌新的價值。

旅途第二天的清晨，我在海邊散步撿貝殼時，認識了剛自臺北護校退休的林壽惠校長。我們談論家庭、童年，還有諸多社會現象、高齡化社會的新觀念，真是相見恨晚！不久，我們四周圍了一大群會友，面對「年華逐漸老去」的事實，大家都有同感。怕老，似乎也是那時每個人的共同課題，身旁接連響起這樣的疑問：「怕老又不能不老，怎麼辦呢？」

「那我們何不就一起來推動『不怕老』的行動?!」我回答。

好主意！大家拍手叫好，當下壽惠以及幾位會友都歡喜承擔，承諾參與推動，素直友會「成功老化」（positive aging）關懷計畫於焉成形。

從關懷家中與身邊老人開始

我很清楚，素直友會只是一群讀書會組成的學習團體，以修練素直心為主旨，不是醫療也非社會福利機構，資源及能力都有限。我們掌握「能做不能做」的分寸界線，才不會因做不好半途而廢，而產生挫折感。成功老化關懷計畫若要成功，就得先從建立「老化及健康」觀念開始，而且得靠自己身體力行，從關心身邊的人做起，繼而幫助親友，再擴及服務社會。

那是二〇〇六年，社會上還不習慣用「老」字，大家都忌老、怕老甚至仇老。好像變老是一件見不得人的事。我遂帶著素直友會的會友們開始調整心態，大家從辦公桌、書桌抬起頭來，走入生活；學習放慢腳步，力行健身，更要養心，透過讀書會累積正確的認知觀念，均衡飲食，正常作息，早睡早起，運動強身。

接下來則要回歸自身與家庭，照看身邊的老人家。於是我決定從陪伴我的婆婆開始，每一個月陪她去參加已持續五十年的「十二姐妹會」。這一群自稱是「十二朵花」的老太太，高齡都已超過八十歲，以前是每月打高爾夫球的球友，後來打不動了，改為每月聚餐。她們氣質高雅卻老態龍鍾，是一群有著豐富生活經驗，充滿生命智慧的

成功老化除了照顧自己也要照看身邊的老人家，於是我決定從陪伴我的婆婆（前排右座）開始，帶她參與讀書會，我讀書給她聽，也邀請她與會友一起玩。

老太太，改稱自己這一群是「千歲美女」了。每個月我陪婆婆與她們聚餐，一邊聽她們笑語盈盈，話說從前，一邊也充當服務生，陪侍桌旁，在談話之間提供新的資訊。

她們當年都是商場大老的賢內助，非常疼愛我，常常勸我：「趁現在年輕多出去走走，我們現在老了，走不動了。」我也如同拿到令牌一樣，把握機會，在那些年趁機暢遊臺灣及世界各地。

我的婆婆在這群姐妹中排行老二，她會說一些平常在家裡不說的事。記得婆婆說，她年輕時經常與先生共商事業對策；在風氣保守的臺灣社會，為了國際貿易應酬的必要，還偷偷去學跳舞；卻都打著學「插花」的幌子，我公公信以為真，偶爾也會取笑：「學了半天，花插得不怎麼樣嘛！」

最有趣的是：婆婆回憶起她們這群姐妹淘互相掩護出主意，彼此通風報信的往事，引發更多笑聲與甜美回憶。在資訊還不太發達的當時，一群老太太在紅日即將落下的漫天晚霞裡，共同取暖，溫習盛年風華。而我發心陪伴的當下，有幸提早警覺，預先儲備「老之將至」的危機感，真是太幸運了！

開啟成功老化關懷計畫

《時代》雜誌歐洲總編輯凱瑟琳．梅爾（Catherine Mayer）在《逆齡社會：愈活愈年輕的全球趨勢》（*Amortality: The Pleasures and Perils of Living Agelessly*）一書中發明了Amortality一詞，意味「人們對生活的冒險和熱情，並未隨著年齡漸老而消逝，反而愈活愈帶勁」。梅爾說的「逆齡」與「成功老化」觀念與我不謀而合，人不可能追求青春永駐，卻可以擁有對生活永遠充滿熱情的健康心態。我喜歡這樣的觀念，也很開心素直友會的種籽呂淑真老師，主動承擔帶動成功老化關懷計畫，推廣這個嶄新且有溫度的活動。

呂淑真原本經營英文補習班，事業告一段落後，因為參與基金會的「自我人生的開拓」課程，認同素直友會讀書會精神，熱忱投身志工，擔任種籽培訓多年。二〇〇七年起，她承接下「成功老化關懷計畫」，因應高齡化的社會潮流，舉辦適合老人需求的系列教育講座，從「彩繪冬之美」、「樂活嘉年華」到「後五十歲人生規畫種籽培訓」等，邀請醫師、學者、專家開辦講座，提供銀髮族健康、養生、養心與生活規畫的新觀念。

呂淑真期望課程僅是一個起點，同時還要培養志工理念，讓學員自助更助人，從關懷家庭與社區長輩著手，進而推廣成為社會服務。於是，當素直友會課程結束之後，她邀請學員共同成立「關愛家族」團體，以讀書會模式繼續共讀，還進一步規畫許多戶外參訪與關懷活動，到仁愛之家慰問老人，講故事與唱歌表演，讓寂寞的老人家露出難得的笑容。呂淑真說，在讀書會的高齡長者中，有人分享、有人傾聽，人人都有揮灑的舞臺，就是最好的心靈妙藥。

最近一次的關愛家族活動是二〇二一年的三月初，這群活潑又好學的資深素直人，帶著歡笑聲熱情參與，相偕參觀見學新開幕的鐵道博物館。真正應驗了「輸人不輸陣」，學習不落人後的好學精神。

而今，老人已是社會的龐大族群，而我以及讀書會群的一些會友，也都七老八十了！我們誇口說：「哪一年參加讀書會，你的年齡就會停在那一年！」開創讀書會時，我四十八歲，那麼我是永遠的四十八歲。

我經常去養生村拜訪齊邦媛老師，一起談閱讀、談時事。

—— 第 16 章 ——

許倬雲院士
襄助成立敏隆講堂

許倬雲院士是我就讀臺大歷史系的授業恩師，也是我一輩子的經師、人師，更是我們全家人的老師。許老師學識淵博，閱歷豐富，為人通透圓融，他鼓勵我做學問不必拘泥在學院殿堂，也可以走入民間，在企業界或為普羅大眾講學論理，指點迷津。

在學時，他總是勉勵大家，不必人人以傳授或研究歷史為終生事業。每個人的性向才情都不一樣，自會遭遇不同的機緣，只要對社會抱持共同的關懷，透過恰當的管道或方式，把對這種關懷和研究結果介紹給大眾，都算是傳承歷史學識的途徑。

抱持歷史意識從事社會教育

這些諄諄教誨，我銘記在心。日後，我的人生雖然沒有走入歷史學專業領域，卻始終抱持著歷史意識，從事社會人文教育工作。那是看清時代轉移、人事滄桑、歷史不斷重演，因而產生以古鑑今、反思現實的某種領悟。我跨足企業與文化，把大學文學院的內涵與架構搬到社會來了！

我因長年身處在企業家族裡，常會把自身經歷的種種景況拿來與歷史相印證，遇到難解的困境，請教許倬雲老師之後，經常能獲得開導與啟發，因而深深領悟：企業領導者如能具備人文歷史觀，其視野胸襟當會不同凡響。

早在「敏隆講堂」開設之前，基金會「文經學苑」時代，便曾邀約許倬雲老師開設「歷史人文與企業經營」主題課程。當代企業管理是從西方發展出來的新興學科，一般教學都會引用中外企業經營案例，作為研究與解說的基礎，然而面對華人的組織時，東方人重視親疏、倫理、人情的傳統，總讓西方理論顯得有所侷限，處處有隔。

其後，許倬雲老師更嘗試以中國文官體制的發展過程，作為理解華人企業管理的基礎素材，開設諸如「從歷史看領導」、「從歷史看組織」、「從歷史看時代轉移」、「從歷史看人物」等系列課程。許老師靈活生動的解說，上下古今，提出具有說服力的歷史例證，讓臺灣企業也開始重視歷史學，更顯示「歷史」這門學問蘊藏著豐富的智慧，亙古彌新。這些課程結集出書後，同樣轟動一時，成為海內外華文世界的暢銷書。

興辦敏隆先生人文紀念講座

一九九〇年二月敏隆過世後，許倬雲老師曾以《金剛經》中：「應無所住而生其心」這一經句提點我。我也以「清醒」為念，持守平淡的生活，力求寧靜與澹泊，漸漸走出傷痛，回到生活的正軌。

一九九一年起，我邀請許老師協助策畫「敏隆先生人文紀念講座」，是為敏隆講堂的源頭。當時臺灣社會雖然有各種亂象湧現，卻因植基傳統文化積累的勤奮價值不散，加上宗教界的努力付出，為社會帶出一股清流，臺灣遂得繼續邁步向前。許倬雲與李亦園兩位院士於是共同策畫系列人文講座，具體而深入地探討「宗教與社會倫理」關係，點出臺灣社會發展的關鍵力量：「希望在新的世紀能為寂寞的大眾找到溫暖，為失落的價值找到意義，為迷惘的人性找到方向。」

一九九二年，基金會與蔣經國基金會合辦「人文雙月會」，主題緊扣：善惡、信仰、是非與判斷、抉擇與負責、宇宙觀。每年以不同的人文主題，邀約院士、大師級的學者開講，諸如：李亦園、齊邦媛、余英時、余國藩等都曾擔任主講人，而後也擴大當代學者專家參與演講或共同探討。這些與人生價值相關的課題引起各界重視，迴響不斷，顯現當時臺灣社會對於人文教育的渴求與嚮往。

二〇〇三年之後，許倬雲老師面向社會大眾，陸續主講「從歷史看人物」系列，最是讓人難忘！在知識與智慧的授受之間，古今朝政的起落興衰似遠似近，人活在歷史裡，歷史也不會將人遺忘。許老師提醒大家，歷史是人物造成的，後世常為古人

上圖／

簡靜惠與恩師許倬雲有超過半個世紀的師生情緣。

下圖／

1991 年起，許倬雲老師協助基金會策畫「敏隆先生人文紀念講座」，
是為敏隆講堂的源頭。
圖為簡靜惠主持由許倬雲與李亦園兩位院士共同主講的「宗教與
社會倫理」研討會。

的成就讚歎，也為古人的失敗惋惜。究竟歷史的悲喜劇，由誰來決定？過去是帝王將相，現在是董事長、總經理、院長、部長。領袖在哪裡？劉邦與韓信、曾國藩對李鴻章，彼此的知遇和磨練，「將將」與「將兵」的格局，多少英雄豪傑在智慧與氣度中造就了人才，也革新了時代。

許老師從這個觀點出發，他特別強調：

我會存著一顆比較寬恕的心，拿自己擺在那個歷史人物的位置上，想一想如果我是那個人，又將會如何？會不會比他更好一點？

或許，天下沒有完全成功的人，也沒有全部失敗的人，每個人都受到時代與環境條件的約束，很難超越自己的身世環境，雖然也有想做好的心，往往卻就是失敗了。因此，對於這類的人，我們應該得理解他們所處的環境，給予充分的同情。同時可以從他們身上反思觀照：如果今天我們有同樣的需求，能不能從這些人身上擷取一些教訓，使得我們要做類似工作的時候，能夠更加圓融通達。

我一直記得，在許多個歷史氛圍濃厚的時刻，在尚未改建前的淡水洪家老宅，在基金會教室，在現今的敏隆講堂，在老師的南港研究室，以及在匹茲堡老師家裡，我一直追隨著老師；敏隆在世時如此，敏隆走了之後也是。在家裡時，我常常愛說許老師長、許老師短，大學時代就是這樣了。我的父親很喜歡聽我分享大學生活見聞，聽久了，他也知道我有位肢體不方便，觀念卻很新穎的許倬雲老師，常會關心地問：「妳那位老師好嗎？」

婚後在洪家，我常邀請許老師到淡水家裡上課講學，與公公婆婆及敏隆兄弟們相識，大家相處融洽，宛如親人。婆婆擅長臺灣傳統料理，每次包粽子，總不忘提醒我：「要送去給許老師、師母吃喔！」至於敏隆，與老師熟識後，許老師也成了他的老師，經常向許老師請益經營企業所遇到的狀況，以及思索得來的種種人生理念與管理哲學。

聆聽許老師的演講，聽見了歷史的聲音，讓我得以在浪濤滾滾的人生洪流之中，更勇敢去找尋自己的生命意義，思考拿捏企業經營與文教事業之間的均衡點，期能發展出更寬廣的境界。

立基人文精神成立敏隆講堂

也是在許倬雲老師的鼓勵之下，「敏隆先生人文紀念講座」一步步往前邁進，終而進化成立「敏隆講堂」，希望引進更多人文社會思想與論述進入民間。許倬雲老師說：「人文」二字，當由「利用厚生，人文化成」而來。「人文精神」即是人對自己作為人類一份子的自尊，以及對其他人類社會成員的尊重，更是不斷致力於提升人類生活的水平及精神的境界。

許老師曾用「美、智、善」三個字，提示洪建全基金會以弘揚人文關懷為努力目標的不同發展階段：第一階段，以音樂與藝術為主，針對心靈發展，提供了欣賞人類文化的「美」；第二階段，轉入提供者服務，盼望在「智」的方面多所著力；第三階段以「敏隆講堂」提供社會人士切磋砥礪，著眼提升社會對於「善」的重視。透過講堂課程、講座，更加努力散播善念的種籽。

許老師非常喜歡敏隆講堂的氛圍，他說：「基金會開了各種不同的課，讓各個不同階層的人都能來聽，甚至那些平常不聽課的也都來坐在這兒，認真用心地又聽又記，讓我覺得很詫異，這也是敏隆講堂特殊的地方。每個人一進到講堂，就能感覺和大家一樣平等，沒有差別，這就是素直的精神。」這確實是我創辦講堂的初心，希望讓懷抱多元關懷與專長的講師來授課，吸引更多各階層人士，不分貧富貴賤，都能來聽課，讓知識普及到社會的每個角落。

二〇一一年，洪建全基金會成立四十年，許老師特別寫了一段賀詞：

我有幸參與基金的發展，現在年過八十，來日無多，心繫臺灣，盼望基金會一秉向來的責志，盡力為臺灣多所規勸，常常提醒臺灣社會和個人，記取「不惑」：

在競爭時，顧全大局；
在開拓時，記得節制；
在自由時，不忘責任；
自己得意，想到別人；
不為一時，忘了長久。

在許老師的見證之下，基金會得以成長與發展，確實也如他所期許：「善因正如種籽，不能全靠播種，更需有人時時灌溉照料始能長大。」

而我作為許老師的學生，最大的收穫是常有機會聆聽老師的談話。在他的智慧薰陶啟發之下，讓我在面臨許多人生重大轉折，必須做出抉擇時，總能沉著冷靜，突破困境。回想超過半個世紀的師生情緣，真是感恩再感恩啊！

而在慶祝基金會成立五十週年的此刻，我再度的接受許倬雲老師所託，擔任「許倬雲全集」出版編委會主席，這是我莫大的榮幸，當全力促成，不負重託。

第 17 章

敏隆講堂如民間書院
是獨特的人文風景

早在敏隆講堂成立之前的一九八〇年代，我曾與解致璋、鍾楊壽美三人，合資在忠孝東路四段的巷弄裡開設「清香齋」茶藝館，由致璋一手打理，專職經營。致璋有深厚的美學背景，專心潛研茶事、茶藝，開創出與日本茶道不同，具風雅格調的傳統品茶之道，重現明清文人雅聚，成為一時風尚。她在清香齋創辦「清香書院」，一室古雅素樸的明式家具空間裡，延請不同的專家學者，包括王鎮華、林谷芳、張月理及楊惠南等名家，都曾在此講詩詞、茶藝、花藝、禪學，是臺灣當代民間書院之濫觴！

我們三個合伙人：我、解致璋和鍾楊壽美，自稱是「三塊磚頭」，取經日本PHP研究所，也在此成立「火曜會」，定期在此泡茶讀書，奠定「素直友會」讀書會群的基石。

一九九〇年代前期，我特別商請清香齋的茶藝老師蘇秀慧到慈濟科技大學開設茶藝人文課，接替我原先所教授的人生哲學課。同時還捐贈一間「茶藝教室」給學校，請解致璋設計，藝術家于彭也捐了一幅畫，豐富整體氣氛。

事隔多年，一位當年參與慈濟青年志工服務的吳曉慧小姐，曾經在那兒品茶，喝出了茶味、興味。如今，吳家三姊妹也在臺北吳興街開設「無事生活茶藝館」，說是受到茶藝教室的啟發。這些因緣能埋下好種籽，真是功德一件！

有能量的講堂空間設計

一九九〇年，敏隆因病離我遠去，我傷心逾恆，好不容易療傷止痛之後，專心致志地投入基金會經營，值得慶幸的是，我把敏隆所遺留的資產，捐出大部分給基金會，可免後顧之憂。那些年，兒女皆已成年，遠赴美國讀書，我一個人生活，終於可以把全部精神都放在基金會！

國際電化公司在與臺灣松下完成產銷一元化後，敏隆最得力的左右手之一林哲生副總經理轉任基金會副執行長。林哲生先生以他的專業能力、工作經驗協助基金會建立完整會計制度，短期內便將會務、財務透明化，日後更能上網公開，取得公信力，提供各非營利機構經營參考，為民間基金會建立了典範。最值得感念的是，一九九三年，經由林哲生四處尋覓，於臺北市羅斯福路二段購置如今交通便捷的基金會會所。我有意延續清香齋書院的設計風格，同樣打造一個素樸的人文學院，形塑民間講學風貌，因此特別請解致璋協助參與設計，希望發展並實踐敏隆與我的理想。

致璋答應後，有天帶了一位「工人」模樣的人到基金會找我，說是將為籌畫中的「敏隆講堂」實際施工的工班師傅吳天灰。只見這位師傅身穿褪色紅色衛生衣，加上破舊卡其褲，實在很難想像他不僅是一名匠人，還是有著浪漫氣息的藝術家。

在動工前兩、三個月，吳師傅一直不提交設計圖，卻有一個很特殊的要求：「可以讓我到講堂住幾天嗎？我要感受這個建築物的『氣場』……」他說得很誠懇，我雖不完全理解，但也尊重他。

他真的住進了預定的講堂空屋裡，或站或坐或躺，時而走動時而沉思不語，看看這裡，摸摸那裡。不明就裡的人，還以為基金會收容了一名街友，卻不知吳師傅正在體會空間的感覺，逐步構思想像，以便落實講堂的整體輪廓。

為了進一步理解吳師傅的理念與工法，我還特別跑到大溪，登門造訪吳師傅的「工作室」。其實也就是半山腰的一個亭子，四面透空，僅能遮陽避雨，機器、木料都放在這裡。多半都是廢棄的木料，一段段裁整接製成各種桌椅……吳師傅能讓「廢棄」檜木「復活」，再度成為生活物件，這和我一向惜物的理念相同。

講堂需要的木桌木椅、八角窗，木色沉穩，透露原有的木紋肌理，這些都是吳師傅與致瑋討論過後，他一人獨力製成，存乎其間的藝術，不光是表現在精巧細膩的木工技藝，也可看到傳統智慧的繼承與創造。

吳師傅很慎重地告訴我：「我這些椅子、桌子、門板等，可不是隨意裁切的，每樣都是有『字』的喔！」這個「字」，是傳承自工匠祖師爺魯班的專門術語。

我從他身上學到了「字」，意即木工丈量與裁切尺寸，魯班尺的「富貴」、「進益」等吉利數字。譬如，四十四吋在魯班尺上是「富貴」，多一公分的話，就會落在「死別」。講堂的桌椅、門板、八角窗、花架的尺寸都已「趨吉避凶」，吳師傅的講究到了這種地步，不只是設計一處空間的整體，還為參與者著想，這也是傳統匠師的仁心仁術，表現職業尊嚴的態度。果然，打造完成後的敏隆講堂莊嚴古樸，又不失現代風格，能量滿滿，人氣也滿滿，吸引大量學員來上課學習。當然，如果他們知道都是坐在「富貴」、「進益」的好位子，一定更加認真珍惜。

很慶幸，敏隆留給我有形的財產，我與孩子捐出部分給基金會，化成有形無形的氛圍氣場，聚集眾人成為一股力量，共同學習修練文史哲藝，是洪家「善念的種籽」傳統理念的具體實踐。

以「文史哲藝」為課程主軸

一九九五年開始，在書院風格的敏隆講堂，以「文史哲藝」為課程主軸，邀請學界教授有系統且長期授課。由此開展我把文學院課程推向社會實踐的心願。應邀到講堂講學、授課的老師們，都是一時之選。不僅有專業的學術建樹、教學經驗，更傳承著悠遠人文精神，讓前來學習者不僅接受學問灌溉，更能親炙學人風範。

在文學領域長期開設課程的學者專家計有：方瑜、張曉風、陳芳明、葉思芬、南方朔、廖雅慧、歐茵西、馬以工、康來新、廖咸浩、紀蔚然、郭強生、朱秋而、須文蔚等老師，分別就中國古典文學、西洋文學、日本文學、現當代文學乃至文學創作等領域，不但賞析文學作品，廣及小說、散文、戲劇、詩詞與現代詩等各文類，更以文學理論、文學史與文學批評為核心，深刻授課。其中葉思芬的中國文學系列、廖雅慧老師深耕英美文學史、莎士比亞劇作和英美詩系列，長達十餘年，學員還在課後組成讀書會共讀經典，熱情感人。

二〇一三年，臺大曾邀約林文月教授自美返回臺大講學，我特別情商請她也能在敏隆講堂舉辦講座：「我們來比比看是臺大上林教授的多，還是來講堂上課的學員多。」結果人擠人，講堂大爆滿，轟動一時，成了佳話。

林文月老師是我就讀臺大時的大一國文老師。當年上課，教室內座無虛席，連窗臺旁都趴滿旁聽的男生。而今芳華依舊，授課魅力不減，她講當年受臺大同事的鼓

上圖／敏隆講堂的八角窗一景。

下圖／敏隆講堂素雅古樸。

勵，也應《中外文學》之邀，將《源氏物語》日譯中。林教授教學生活認真嚴謹，果真以五年半的工夫，共六十六期，翻譯出百萬字的鉅著。

系列演講中，也請到林文月老師的同班同學鄭清茂教授蒞臨講堂，講授《平家物語》翻譯的故事。滿頭白髮的鄭清茂說，一九七二年深秋，兩個老同學一起參加在日本京都舉辦的國際筆會，兩人相約，由林文月翻譯《源氏物語》，鄭清茂翻譯《平家物語》，到了二〇一三年底，《平家物語》翻譯已經進入最後階段，由洪範出版社出版，馬以工老師以鄭清茂的譯本，召集朋友組「《平家物語》讀書會」，每月集會讀書。不僅如此，鄭清茂先生所翻譯松尾芭蕉《奧之細道》，也十分精彩，我們相約讀書會朋友一同赴日本，尋訪松尾芭蕉與弟子河合會良遊歷的足跡。

親近歷史思想與智慧

歷史是我的本科，也是敏隆講堂起心動念的根基，從最早的許倬雲院士「從歷史看領導」系列作為起手式，引發文化界的注目，奠基講堂學院講學的風氣。在敏隆講堂歷史領域課程多年耕耘的學者專家計有：張元、楊照、李弘祺、葉言都、花亦芬等幾位，他們有系統講解中國歷史、外國史，也深入授讀《史記》、《資治通鑑》等重要歷史典籍。楊照在敏隆講堂開設「重新認識中國歷史系列」、「中國傳統經典選讀系列」、「西洋傳統經典選讀系列」等，長期回溯典籍，對歷史的新認識、新理解，把這些書放回相對準確的歷史脈絡下詮釋，讓讀者有機會親近歷史思想與智慧，非常受歡迎。葉言都的「夜讀史書系列」，帶領聽眾穿梭時空，理解朝代興盛、衰亡的關鍵，葉老師定義清晰，材料客觀，觀念比對翔實，喜愛「都教授」的聽眾相當多。

在哲學領域開設系列課程的學者專家計有：王邦雄、傅佩榮、李亨利、辛意雲等老師。王邦雄鑽研中國哲學素有心得，二十多年來，平均每年一至三次的課程，悠遊在老子、莊子、韓非子等的精神世界，成為臺灣民間講堂的長青樹。傅佩榮出入中西哲學，三十多年來普及哲學思想，近年來足跡廣布海內外，每次在講堂開課，學員們趨之若鶩。

在藝術領域多年經營的學者專家有：劉岠渭、焦雄屏、巴東、鄭治桂、彭廣林、阮慶岳、林谷芳、林茂賢、王增榮等老師，展現出古典音樂、電影、美術、建築與當代藝術的多元風貌。一九八三年，劉岠渭從維也納大學取得音樂學博士回臺任教，在學校之外舉辦古典音樂欣賞講座的處女秀就在洪建全基金會，無論是古典音樂或中國音樂的導聆，都能全面進入經典作品的背景、結構與精神，帶領聽眾同登偉大、崇高的音樂殿堂。焦雄屏不僅熟悉電影美學，更是臺灣電影第一線的工作者，她十餘年來以不同主題來探討電影，協助學員提升電影的鑑賞力，形成獨特的思考和觀點，很受肯定。

如此豐盛的人文藝術課程在敏隆講堂輪番登場，民間書院也成為臺北獨特的人文風景，帶動不少非營利組織紛紛設立講座，豐富市民日常學習人文藝術知識的風氣。我的一群好友姐妹淘竟然稱呼我「校長」，我的工作是要邀約精彩師資、規畫課程，也到場聆聽，其實是「校長兼撞鐘」，但收穫最多呀！

面向大眾的社會人文學院

敏隆講堂自一九九五年成立以來，固守經典、扣合當代潮流，持續長遠且有系統講授文史哲藝的人文課程，四分之一世紀的時間裡，不停澆灌臺灣社會迫切需要的人文內涵與價值，這樣的實踐，不但繼承傳統中國書院的精神，更是面向大眾的社會人文學院。

上圖／敏隆講堂一景

下圖／

2018年，作家張大春於NEWS 98主持小說課，空中敏隆講堂是另一種形式的文學課。

我常跟朋友說：當年我在臺大沒有好好上課、成就學問，但置身大學殿堂所受到的訓練，如歷史意識、思考訓練、中外文學和博雅教育，卻是有的，且深入潛意識；日後幫助我能以長遠的眼光，清楚看到人類歷史發展之中，種種的人間實相和假象。因緣際遇，讓我走進洪建全家族，參與企業經營，對其中精髓深有心得。最後，我選擇將兩者結合運用於非營利事業之上，希望能實踐夢想，把個人特殊際遇所得，奉獻給社會大眾。「敏隆講堂」可說是我對社會教育最具體的付出。

第18章

進入國藝會
為藝文界盡一份心力

一九九〇年二月，敏隆過世之後，長達六年的時間，我遠赴花蓮慈濟護專（現改制為慈濟科技大學）任教，也為「懿德母姐會」義務培訓「懿德媽媽」，講解教育與諮商理論，讓慈濟委員志工也能參與輔導工作，協助離家求學的孩子適應環境，促進家庭親子關係，健全學生人格。

這段期間，每個週五下午我便來到寧靜的後山花蓮，留宿一晚，週六一大早上課。最早的時候，學校教員住宅還沒蓋好，我借住於花蓮慈濟醫院的宿舍。純樸的學生、靜謐的山水，讓我獲得心靈安定的力量。

上課之餘，出國旅行散心，也是消解苦痛的一劑良方。為基金會服務二十七年以後，正當奔走後山，汲汲於慈濟護專授課教書，「見山見水」以消除胸中塊壘之際，秦孝儀先生竟邀請我進入「國家文化藝術基金會」（簡稱國藝會）服務，由此開啟我「從婆家到國家」的藝術人生之旅。

來自秦孝儀先生的邀請

一九九七年十一月，當時我與友人正在長江三峽旅遊，一路陶醉在李白詩中所描寫：「兩岸猿聲啼不住，輕舟已過萬重山」的美景。武漢下船之後，入住旅館才剛放下行李，臺北傳來訊息：「秦孝儀董事長來電，希望聘您擔任國家文化藝術基金會執行長。」

國家文化藝術基金會一九九六年剛成立才沒多久，原任執行長陳國慈請辭，準備轉往民間的「台積電」服務。當時國藝會董事長由故宮博物院院長秦孝儀兼任，秦董事長高齡七十七歲，德高望重，是文化界的大老，他親自致電緊急徵召，讓身在旅途的我大感意外。

國藝會是直屬行政院國家級的文化基金會，責任重大，到底該不該應命出任？一時之間我也拿不定主意。記者紛紛來電詢問，我也坦率回答，自己只在家族裡做過事，從未有其他單位的服務經驗，還得多方考慮才行。經過再三思索，自己也希望能為藝文界做出更多服務，我點頭答應承接這千斤重擔。

一九九七年十一月十八日，國家文化藝術基金會召開臨時董事會議，上午十點不到，秦孝儀先生便率先到達會場，他要我放輕鬆，別緊張，安排我在辦公室裡等候。

董事會議進行很順利，不過十幾分鐘，會議室便傳出鼓掌聲音，我隨即進入會場與董事們見面。進門之前，我並不知道董事名單，到了會場一看，林懷民、吳靜吉、江韶瑩等藝文界好友都在席上，我鬆了一口氣，笑說：「原來早就埋伏好了的……」

秦孝儀董事長宣布由我就任執行長，沒耽擱任何時間，我立刻到國藝會上班。就任新職，我只帶了一位祕書。我深深明白，國藝會究竟屬「董事長制」或「執行長制」的爭論，那些年在媒體喧騰許久，不免傷害國藝會的形象。在關說文化盛行的臺灣，縱使有良好的補助政策，若因政治力量介入，則想幫助真正有需求的藝術文化工作者，很可能緣木求魚。

我很快了解相關補助的業務與規範，前任執行長陳國慈是資深律師，法規制度訂得非常完善，足能維持國藝會的中立角色。我接任之後，無意有何變動，一切政策蕭規曹隨，依陳國慈所訂下的制度來運作執行。

我是學歷史的，很明白制度的重要性，更清楚知道一個國家文化藝術基金會的責任所在：補助各個類別的藝術工作者，維持公平、公正、公開的管道，讓人人都得以申請補助，成就個人的創作理想。我不介入任何紛爭，不做組織變革，更沒有任何人事調動，竭力延續並落實原本在陳國慈任內就制定了完善且公平的補助辦法。

擴大藝術領域的視野

進入國藝會是我人生的再次躍進，擴大視野，也增長對表演藝術、繪畫美術的多元認識。一九六九年自美返臺之後，我一直在與家族企業關係密切的民間基金會服務，國家文化藝術基金會不論服務範圍、資源、人脈都相對寬廣深邃，對我而言，真是一大挑戰；但樂觀的我卻始終相信，人生是一個不斷學習的歷程，勇敢面對挑戰，必會有不一樣的收穫。

回首四年多任期內，我將國藝會關照的範圍，擴展到表演藝術與美術等領域，當然也持續補助文學、音樂等創作。尤其爭取增加文學類名額，無論長篇小說創作與出版的補助，以及文學創作人才的培育補助，都一一建構，確立了國藝會獎助與補助制度的完整架構。

印象很深刻的是「國家文藝獎」第二屆徵選，評審委員意見相當激烈，辯論許久，經過幾輪投票，終於選出了文學類黃春明、美術類廖修平、音樂類盧炎、舞蹈類劉紹爐和戲劇類廖瓊枝等，充分顯現評選的慎重過程。不僅如此，我還特別擴大舉辦頒獎典禮，選擇在剛剛修復好的圓山飯店，由知名的舞臺設計師登琨豔擔綱，搭造雅致的典禮場地，別開生面。同時邀請李登輝總統出席，經徵求同意，他只致詞祝福，不親自頒獎。所有頒獎者是得獎者的知音或好友，而不是政治人物。

這在當時是一大創舉，那時黨國威權猶存，社會風氣普遍崇尚權位財力，要做這樣的安排，我必須親自徵詢當時的總統李登輝，期望獲得他的理解同意。透過祕書室主任蘇志誠先生的安排，我得以親自拜謁李總統，向他說明這樣安排的原因與目的。幸得李總統很親切明理，完全認同這項舉措，一口答應，讓這次頒獎典禮更具意義。

國藝會讓我超越家族的眼光，以國家層次的視野，觀察藝文環境的變遷，更看見了國際之間的藝文發展。這段期間，我請同仁安排許多國外考察，到美國、澳洲與法國「取經」，深入了解各國的藝文補助政策，結交重要策展人，也參訪知名展覽與表演機構，開拓視野與讓國內的藝文補助更為完善。

從國家回歸基金會

二〇〇〇年五月二十日政黨輪替，陳郁秀出任行政院文化建設委員會主委，我和她一直維繫深厚的友誼，在國藝會服務時，也獲得她大力的支持。六月底，國家文化

上圖／

簡靜惠在第三屆國家文化藝術獎活動現場致詞。

下圖／

與第四屆國家文藝獎得主餐敘。左起：朱宗慶、夏陽、簡靜惠、許常惠、王海玲、羅曼菲。
(以上皆為國家文化藝術基金會提供)

藝術基金會董事長改選，音樂學者許常惠榮任新董事長，我們是多年舊識，早在二十多年前，就因洪建全視聽圖書館的因緣，共同推動臺灣的民歌採集。

時光匆匆流逝，我的聘期也已屆滿，十一月送別茶會裡，我想起三年多前到任之初，曾買過一幅董陽孜的書法作品，寫的是《金剛經》經文：「應無所住而生其心」八個字，恰如其分地表達了到國藝會服務的心情，也就是將「一顆素直的心」奉獻給藝文界。

此後，只要行有餘力，我繼續隨緣參與公共事務，先後擔任「國家表演藝術中心國家兩廳院」監事、董事，也回到國藝會出任董事，前後長達六年，繼續貢獻心力，用平常心為藝文界盡一份力。

我懷抱同樣素直的心，從國家回到民間，在洪建全基金會重新出發。

第19章

注入傳承企業文化的基因

我很喜歡紀伯倫《先知》一書中，對父母教養子女的提醒：

你們的孩子，都不是你們的孩子，
乃是生命為自己所渴望的兒女。
他們是借你們而來，卻不是從你們而來，
他們雖和你們同在，卻不屬於你們。
你們可以給他們愛，卻不可以給他們思想。
因為他們有自己的思想。
……

要學會放手與尊重孩子，向來就不是一件容易的事。我從小就受到父母的信任與尊重，因此在孩子的成長過程裡，培養他們獨立自主的判斷能力，是我的原則也是態度。每當孩子問我一件事該如何判斷？我通常不會急著下判斷，而是希望他們先思考，經常都說：「你自己決定吧！」

總對孩子說：「你自己決定吧！」

我兒裕鈞雖然成長在商人家庭，卻沒受到任何框限，也沒有追隨父親的腳步，為了接班而修習企管。裕鈞從小對設計感興趣，中學畢業後遠赴美國羅德島設計學院（Rhode Island School of Design）工業設計系就讀。畢業後又進入藝術中心設計學院（ArtCenter College of Design）平面設計系取得學位。回國後，他問我：「我第一份工作不回松下，到PChome可好？」

「你自己決定吧！」我的回答依舊。

於是，他從基層美術編輯做起，發揮平面設計專長，努力畫插畫，做得很起勁。憑藉自己的實力與工作態度，終於獲得詹宏志先生拔擢，擔任臺灣最大購物網站之一的網路家庭（PChome Online）創意總監。網路電商工作非常忙碌，卻也同時思考開創、拓展各種創新事業。作為母親，我總是支持，但有件事讓我有點耐不住，就是當時的他一直沒有成家打算，我卻等不及「抱孫心切」，我喜歡有人叫我「阿嬤」啊！

有一次剛好與一雙兒女同車，我笑著說：「二位請趕快結婚呀！」

空氣突然變冷，一陣沉默，我只好自言自語說了一個冷笑話：「我們三人現在都是單身，你們都不結婚，那就我去結婚吧！」

兩個孩子開心大笑，異口同聲說：「好呀！好呀！妳去，快去啊！」

看來沒人理我，我也必須遵從自己的教育原則：尊重他們。我的阿嬤夢還有得等呢。幸好月老很幫忙，沒讓我等太久，裕鈞認識了張淑征小姐，二人情投意合，彼此都熱愛藝術與設計，有著談不完的話題，願意攜手同行過一生。

迎來才華洋溢的新家人

記得裕鈞極其慎重地告訴我：「我和淑征要結婚了，但我們不想辦婚禮，可以嗎？」

我一聽，有點不知所措。心想，面對那麼多親友的詢問，不辦婚禮，恐怕會有接不完的電話。我沒有立刻反對，而是問：「結婚，好啊！不辦婚禮，為什麼呢？」

「臺灣結婚請客很可怕，我們不想站著聽訓話！」

我聞言大笑：「這不難啊，不要訓話就不訓話，但這事我還是得問過阿嬤才行。」

這並非緩兵之計，我和婆婆報喜，她知道長孫有喜事，臉上堆滿笑容。聽說不辦婚禮，沉思了一會兒，竟也點頭同意！

老人家如此通情達理，讓我心生敬佩，快樂地告知裕鈞這個好消息，卻還是忍不住和他商量：「淑征從小在馬來西亞出生長大，十七歲移民加拿大，和我們家親友都不熟，是否辦個簡單餐會，也好介紹新娘子給大家……」

裕鈞也有所退讓：「宴請親友？那可以！但規模別太大，每場不超過三十人，這樣才容易相識。」

「要這麼精準喔！那好，就辦五場，行嗎？」

裕鈞欣然同意，我們迎來才華洋溢的新家人，也讓新人自己「打破傳統」，用自己所想要的方式，開創自己的逍遙生活。

年輕與充滿個性的創業家

裕鈞著迷於設計，也樂意開創各種以設計為基礎的事業。對洪家與日本合資的臺灣松下的事業繼承並不急著接任。他可能血液裡有阿公創業的基因，自從美國、日本返臺，在外歷練後，先後創立、經營好幾個以設計為核心價值的公司，包括橫跨大中華地區的AGENDA數位行銷顧問公司、互動教學產品獲得超過六成美國公立學校採用的愛比科技（IPEVO），以及打造臺灣第一輛電動賽車的行競科技（XING Mobility）等。他一直有創新的觀念和想法，我也樂意與他分享個中酸甜苦辣。眾多事業當中，裕鈞與淑征夫妻合辦的「十一建築與設計事務所」（XRANGE），具有個性、前衛和多元的文化特色，讓淑征得以在臺灣實踐自己的理想與理念。

淑征成長於國外，跟臺灣職場文化還是需要時間磨合。剛剛創立「十一建築與設計事務所」時，本地建築工地勞動者還存在刻板的性別觀念，與女建築師的合作經驗有限，她到工地監造時，好幾次被當成小妹看待，得費很大的勁，才能說服工人遵照她的指示。

我從旁觀察，淑征自幼受到極好的家教，本分認真，剛開始和家人不熟悉，也不太理解臺灣習俗，不免手足無措。我明白不能以當年自己進入洪家當「媳婦」的態度視之，花了兩年時間建立彼此信任基礎，方才進入洪家傳統禮教。新時代的婆媳相處，只能慢慢來。

淑征曾邀請阿嬤去參觀她所設計的高速公路「清水休息站」。這是好事，我也覺得光榮，便包了車，招呼親朋好友同行，三代媳婦一起出遊。這是淑征在臺灣的第一個

我們迎來才華洋溢的新家人，也讓新人「打破傳統」，用自己所想要的方式，開創自己的生活。簡靜惠三代同堂：兒子、媳婦、女兒、女婿，與兩位可愛的孫女。

設計案，她很盡力解說，讓我們了解整體建築設計理念與創意。

清水休息站的位置面對臺灣海峽，碧海藍天，景致非常好。腳下的紅土卻很觸目，不太得宜。淑征初抵現場，便發現這種「相違」，幾經思索，她決定設計一棟建築，讓遊客順著動線登臨屋頂，飽覽山光水色美景。構想初步提出，所有人都反對，因為「臺灣人傳統不上屋頂的」，淑征卻堅持自己想法，完工後，遊客果真如她所預期，紛紛走上屋頂遠眺風光。聽完她的講述，大家都發出讚歎，不僅為了眼前的景致，也佩服她能堅持意志，展現了專業力。

覓空間傳承文化基因

裕鈞和淑征都有強烈藝術家性格，凡事都蘊含創新動機，對於新創事業，總期待能跨國產生影響。我和他們談基金會或非營利組織的發展時，他們往往有著不同的眼光、期待，乃至於規模的想像。凡此都讓我思索，兩個世代之間是否存在不同特點？若我期待基金會能永續經營，那應該要如何開放框架，以便交棒給新世代經營呢？

我慢慢思索、比較與歸納，發現我的婆婆、我和淑征三代媳婦都是丈夫的創業伙伴，卻也各有特色。婆婆是公公創業幫手，將事業成就的光環都歸給丈夫，自己很安守本分隱藏在幕後，可說是「無我」的境界；我則是進入企業體制，把心力放在非營利組織，作為基金會的執行者，希望光耀夫家門楣，已經是「有我」的女性；淑征是建築師，愛好藝術，個性鮮明，風格突出，與先生一起打拚新事業，相輔相成，主體性格明顯突出。既然如此，我似乎應該以更多的耐心，和淑征溝通基金會創設的初心，陪伴她一起思索未來各種創新的可能。

二〇〇三年前後，「嚴重急性呼吸道症候群」（SARS）爆發，臺灣經濟瞬間陷入低谷，連帶影響基金會運作。迫於情勢，基金會甚至騰出十二樓空間，對外出租以彌補經費不足，部分活動更不得不停辦。

裕鈞於此時加入基金會，成為董事之一。他期待基金會在既有經典課程之外，能再增加當代新藝術展覽或培訓活動，拓展新興的文化議題，吸引年輕族群走進基金會；淑征則提出「MEME/覓空間」的新觀念，希望收回出租的空間，把原有古典的人文講堂，延伸為多元特質的人文空間。

淑征告訴我，MEME意譯為「文化基因」，是英國演化生物學家、動物行為學家與科學家的理查．道金斯（Richard Dawkins）於一九七六年所提出的概念。他將文化傳承的過程，類比成微生物學的演化繁殖規則，文化基因就是人與人之間傳播的文化基本單位。MEME指涉很廣，舉凡旋律、慣用語、信念、流行服飾、手工藝或建築等文化形式，都包含在內。

覓空間的設立，代表著基金會在二〇〇七年以後，擴大了原來文學、歷史、哲學、音樂與心靈探索的特質，延展到探詢更多類型的文化藝術，關心都會環境與文化議題，轉變為鼓勵創意、跨領域計畫整合與研究的所在。

一代人做一代事，成就一代的積累。對此，我深表贊成，於是放手讓淑征改變基金會行政與授課空間，並規畫新的展覽場地。

敏隆講堂的八角窗、檜木桌椅與原木地板之後，一拉開折疊門，覓空間金屬風的現代裝潢即刻呈現，陽光穿過幾何圖形的鏤空隔屏灑入，在地板上投射出三角形的幾何圖案，充滿了新潮和現代感，同時具備多元功能，可提供藝術家作品、裝置藝術或新媒體作品等展覽。沒有展覽時，講座聽眾過多，也可延伸成為聽眾席。凡此種種，在在顯示淑征靈活與新世代的設計觀念。如今古典的「敏隆講堂」與新穎的「覓空間」融合為一，讓基金會的空間規畫獨具特色。

「覓空間」金屬風的設計，可讓陽光穿過幾何圖形的鏤空隔屏灑入，在地板上投射出三角形的幾何圖案，充滿了新潮和現代感。

第20章

從覓計畫
到銅鐘藝術賞

自從二〇〇七年裕鈞與淑征參與基金會的空間改修之後，基金會也逐漸在轉型中。淑征提出的「覓計畫」，鎖定當代藝術家的展覽與對話，每年訂定主題，邀約文化與藝術創作者展覽、座談或演出。淑征傾向藝術，建築師是她的專業，但她關心也參與過多個當代藝術展覽，了解臺灣藝術環境，大都是由策展人定下主題，藝術家往往要將就主題，甚至貼錢參與展覽的窘境。因此她從長期觀察的傑出藝術家之中，邀請一位提出年度主題企畫，鼓勵創新能量，深刻洞見，方案若能促動社會脈動，絕對優先考量。

覓計畫點亮當代藝術

覓計畫在二〇〇七年邀請了觀念藝術家彭弘智，提出了「Antimatic抗衡」的主題，他一向期待藝術能介入社會現實，藝術家能透過藝術去挑戰社會，進而改變對現實的認知，推出「抗衡：彭弘智對於社會行為的藝術試驗」個展。展出三件彭弘智的錄像作品：以狗的「社會行為」作為出發點，藉以睥睨人類世界的「衣錦還鄉」與「一黑一白」；以及記錄二〇〇四年行動藝術「搶錢計畫」，藝術家商請一位劇場身障表演者鄭志忠坐在臺車上，全身貼了一百元，在華山烏梅酒廠的展場中，放任現場不知情的觀眾搶錢，臨場即席「表演」出人類貪婪、剝削弱勢族群的慾望，最後發現所搶是一位肢體殘障者的錢，有人會把錢退回去，也有人會為他披上衣服。彭弘智對過於商業化與通俗化的藝術生態提出挑戰與質疑，也透過行動藝術展現了人性的多樣與複雜面向。

淑征說，在繁忙的建築師業務之外，當代藝術是她暫時脫離工作的一扇窗口，與受邀藝術家對話，協助完成展覽，這是覓計畫的一大特色。她印象很深刻的是，邀約到李勇志的「工業盜版」計畫。李勇志從小在工業區成長，長年看見工廠年代久遠，看似不那麼有設計感的招牌、商標，印象非常深刻。傳統產業慢慢沒落之後，工廠紛紛歇業，那些曾為臺灣經濟成長付出努力的產業，值得紀念，於是他透過拓印盜版（Copy Print）表現方式，一如摹拓碑帖書法一樣，複製工廠招牌或入口標示，重現工業名稱標誌，也展示即將消逝的臺灣傳統製造業發展紋理。我看著淑征一路陪伴藝術家從策展到克服拓印與展示的問題等，覺得受邀的藝術家真是太幸福了。

「雨棚」與「問問題」，翻轉策展理念

二〇〇八年開始，淑征期望結合基金會社會教育目標，進一步提出「雨棚計畫」，只要青年藝術家提出的創意構想，具有藝術性和社會意義，便有展出作品的機會。淑征眼睛發亮地說：「這些年輕人雖然一點展覽經驗都還沒有，我卻可以想像，如果今天我也這麼年輕，有人給我一次個展機會，光是跑完一次展覽，我所累積的經驗就遠比同輩來得厲害了。」

於是基金會化身成為年輕藝術家遮風避雨的「雨棚」，淑征在尊重藝術家的同時，也默默在旁協助，給一些建議，提供一些實際的展出經驗，以便凸顯藝術家的個性與魅力。就這樣，從最早每年五個左右的提案，近年來已激增到三十多個，可見臺灣藝術環境確實有此需求。許多新人的第一次展覽現身在基金會的覓空間裡，也成為我們的驕傲。

二〇一五年，淑征又提出「問問題計畫」，以一系列的「問題」為年度計畫核心概念，策展人不用長篇累牘，只要拋出一個簡單的問題，一個探究社會多面向的議題，藝術家可藉由與觀眾分享一些有趣的人、有意思的事，引導出藝術家提問與回答，用

另一個問題持續感染其他人。

其中一個充滿公眾參與意涵的計畫由李明學提出：「Certain or Uncertain?」挑戰大眾對於保存日期標示的信賴，在「Boundary邊界——李明學個展」中，展出各式各樣的包裝食品，通通標示保存期限到二〇一八年八月十一日止。到期之後，究竟該如何處理這些即期食品？大家莫衷一是，淑征建議應當通通煮來吃，獲得藝術家採納。於是這場行動藝術就在八月十一日當天，於展覽現場舉辦一場「811今日特餐」，重現包裝食品的滋味。相當好玩，也充滿了反思的意味。

我親自參與了歷屆的覓計畫，從行動藝術、地下音樂、裝置藝術到新媒體藝術，體會到裕鈞與淑征特別重視原創力，這是他們創業的源頭活水，無論工業設計或是建築都為了創意實踐，更希望展現創新。兩人都能體會創辦與經營基金會的核心想像，開創了許多亞洲罕見的藝術贊助模式，讓臺灣文化能夠創新、前衛，具有生命力。

以銅鐘經典講座和銅鐘藝術賞追懷父親

二〇一五年，為了感念父親簡銅鐘一生栽培養育之恩，我特別設立「銅鐘經典講

淑征與受邀藝術家對話，協助完成展覽，這是覓計畫一大特色。她印象很深刻的是，邀約到李勇志的「工業盜版」計畫。

在「Boundary 邊界 —— 李明學個展」中，展出各式各樣的包裝食品，標示保存期限到 2018 年 8 月 11 日止。並於展覽現場舉辦一場「811 今日特餐」，相當好玩，也充滿了反思的意味。

座」，結合基金會，進一步深耕人文志業，前三屆活動都以文學為主，由須文蔚、曾文娟策畫。二〇一五年，由旅居加拿大華人作家張翎女士擔任首屆講座作家；二〇一六年，邀請香港作家陳冠中先生來臺；二〇一七年，邀請到中國大陸小說家畢飛宇老師。三位國際知名的作家於敏隆講堂舉辦民間講學，並擔任國立東華大學駐校作家。活動形式上，有學院的演說，也開放大眾聆聽，並邀集知名的臺灣小說家如張大春、吳明益與畢飛宇對談，讓社會大眾、青年學子與期望走上小說之路的文友們，獲得更多的啟發。一路走來，三屆銅鐘經典講座帶領讀者看見文化脈絡之下變異的語言與情境，以及和臺灣文壇截然不同的寫作風格與特色，並於國家圖書館滿場掌聲中圓滿完成階段性任務。

二〇一八年起，講座轉型為「銅鐘藝術賞」（Tung Chung Prize），鼓勵藝術創作或任何不受限的創意發想。淑征歷經了「問問題計畫」的發想、創意、展出與回饋，更有自信與眼界，她希望傳承基金會文化播種的開創精神，從「文化創投」的前瞻概念出發。基於肯定藝術家的創作理念及對藝術家的信任，在藝術家尚未有具體內容的創作萌芽階段就給予贊助，促成其計畫得以實現。這也是臺灣目前唯一這樣做的贊助！不同於企業創投，這樣的「藝術文化創投」成果將嘉惠社會以及未來的文化發展。

從藝術作品反思當代文化、社會、哲學與環境的困境，遂形成「銅鐘藝術賞」的核心價值。從2018年起，許家維、鄭先喻、林沛瑩先後獲得此項殊榮，也成為首批獲得「文化創投」協助的當代藝術家。

淑征親力親為，審查企畫書，與藝術家面談，她不注重藝術家資歷，而是著重藝術創作是否能啟發與感染大眾？從藝術作品反思當代文化、社會、哲學與環境的困境，遂形成銅鐘藝術賞的核心價值。從二〇一八年起，許家維、鄭先喻、林沛瑩先後獲得此項殊榮，也成為首批獲得「文化創投」協助的當代藝術家。

三位「銅鐘藝術賞」得主都具有跨國的視野，深刻的文化洞察能力：許家維以影像紀錄，長期進行太平洋島鏈的區域研究，創作題材從臺灣跨越亞洲各國，考察庶民的歷史命運，主題包括民眾信仰、傳說、歷史、新聞，視野遼闊；鄭先喻關注人類越來越依賴新科技，當進入第四次工業革命的科技時代，人工智慧（AI）、自動駕駛（Self driving cars）、物聯網（Io T）、區塊鏈（Blockchain）、基因編輯技術（Cryspr）等新科技進入大眾生活，傳統人文價值典範與倫理道德判準恐怕都要受到挑戰，如是深刻的觀點，國外都很罕見；林沛瑩則以基因序列的知識為基礎，從藝術與人文的角度觀察病毒圈（Virosphere），透過不同語意、媒材、象徵的表現手法，嘗試建構人類與病毒的溝通途徑，在新冠病毒肆虐的時刻，顯得意義非凡。

我的生命有限，希望孩子不僅僅以接班事業版圖為滿足，而能深刻理解我創辦基金會的思考與宗旨，重視原創與文化播種的精神，繼續傳播善念與素直的觀念，永續經營。

很高興裕鈞和淑征願意與我一起思考，更樂於注入更多心血，把基金會當成事業也如同自己的血肉去經營疼惜。我深信，有了他們的創意、衝勁與熱血，未來必然能展現NGO的嶄新價值。

第21章

雲石結合的啟發與傳承

二〇二〇年七月十一日，敏隆講堂湧進了我和敏隆的許多至親好友，一起參加「洪敏隆先生辭世三十週年紀念」活動，藉由《雲與石：敏隆先生的遺愛》一書的出版，懷想敏隆先生真誠、勤奮與充滿詩人性格的人生。

在活動現場，螢光幕播放出一張張老照片，就像是回溯時光之河，大家一起追憶在洪家、國際電化公司與洪建全基金會的成長過程，敏隆愛好文藝，真摯交友，並於商業環境變化之下，依然以照顧部屬為先、廣納雅言的種種往事。最讓人感動的是，在他過世三十年後，三十幾位白髮蒼蒼的老同事一起出席，追懷臺灣社會經濟發展的多個轉捩點上，敏隆與他們一起衝鋒陷陣，共同打過的那些美好戰役。雖然總司令先一步離開了戰場，他們卻從沒忘記敏隆的提攜與寬厚。

人文藝術是啟發未來產業的關鍵

往事歷歷在目。一轉眼，就在二〇一六年，正值「日本松下」九十八週年與「臺灣松下」成立五十四週年之際，裕鈞在這一年與父親一樣，接掌了臺灣松下電器公司董事長一職。

二〇一九年，裕鈞告訴我，讀完父親《雲與石》重新出版的校稿，一時語塞，發愣了好一會兒。原來他近年來一直提倡「文化創造產業」的理念，早在尚未成年之際，便已經深深烙印他潛意識之中。他和父親一樣都相信，深刻的人文藝術是啟發未來產業的關鍵，企業要追求的不是短期的產值，而是長遠影響社會與創造產業的新價值。裕鈞強調：「爸爸當年『雲石結合』的啟發，三十年後的今天，將由我持續努力使它成形。」

活動當天，媳婦淑征上臺致詞，也說了一個十分動人的故事。雖然她沒有機會親炙公公洪敏隆先生，卻感覺敏隆精神氣息一直存續著。她將設計完成的淡水洪家墓園的涼亭，命名為「雲石之間」，誰知正與在基金會將要出版的《雲與石》一書，兩者內涵完全一致。而她並未見過公公洪敏隆，之前也未聽我們提過雲與石。她忍不住在心中吶喊：「這一定是來自公公的靈思，在冥冥中啟發了我！」

在溫暖與驚奇無限的家人與友人的對話之中，我清晰感受到家族文化傳承如此富有生命力與創造力，像一條從泉源滾滾湧出的河流。

HAX計畫擘畫下個五十年

裕鈞喜歡創新，熱情開拓新視野，返回臺灣後，一直埋頭忙碌各項新創事業，他總愛說：「我身上流有阿公的創業的血！」裕鈞近年來著迷於研發電池模組系統與傳動動力系統，希望能普及到跑車、工程車、船舶、水上摩托車與採礦車等，成為未來交通工具動力系統的關鍵技術。

淑征的興趣在建築和藝術，也參與基金會運作，主持充滿創意的「覓計畫」、「問問題計畫」、「雨棚計畫」與「銅鐘藝術賞」，無不讓人激賞。我早早便遊說兩人接續基金會的工作，我特別提醒他們：「接班不能只是接受掌聲與光彩，還得要有使命感，擔負起責任。這是歷史頗久的教育文化基金會，不僅要延續過去，還要開創未來，更需要投注財力，這是大事，是很巨大的承擔啊！」物換星移，時光流逝，兩位創業家一直在產業中打拚，一直還為基金會的延續操心。經過很多年的溝通、磨合與理解，兩人終於點頭應允，我心中的那一塊石頭也總算落下。

二〇二一年，正當基金會邁入第五十年之際，如何承接過去所播下的種籽？如何轉型以迎接未來的永續發展？裕鈞和淑征二人提出了「HAX計畫」。淑征說，傳承洪建全先生將收音機、電視機視為「文化載具」的典範，HAX計畫將是洪建全基金會下一個五十年的發展引擎：

「H」代表Hong。

「A」代表藝術（Art）、建築（Architecture）、汽車（Automobile），也意味這三者的混合體，及其有機互應的創作動力。

「X」代表的是Exchange，意指交織、交流、未定義。

相較於過去基金會重視歷史、文學、音樂與藝術的講座、讀書會與展覽活動，奠基於人文藝術傳統，HAX計畫顯然將會邁出新的一大步。預計培育「未來行創力的載具」（Future Vehicles Creation）。他們二人這麼說：「藝術永遠在文化先端，收納我們集體存在的夢想或焦慮的載具；建築以土地、光影、材質及空間體驗，是我們生活的容器；汽車型塑了都市文化及動力，是乘載了我們對科技與自由流動信念的工具。」正因從覓計畫以來，著眼當代藝術界所累積的人才庫，加上新創的科技與建築產業的研發能量，他們有意挑戰創意產業的新範例。

淑征手上有時會戴著一個黑色的戒指，問她：「是什麼寶石？」她總是神祕而黠慧地一笑說：「是霧霾戒指！」

原來這枚戒指出自荷蘭前衛設計師羅森加德（Daan Roosegaarde）的創意。這位曾以燈光裝置作品「水之光」，提醒世人重視水資源危機；以「減霾計畫」點出全球空氣汙染危害；以科學儀器蒐集霧霾，再高壓壓製出寶石般的結晶，鑲嵌為首飾，讓藝術作品同時展現發人省思的生態議題，這就是發展創意產業所值得參考的典範。

淑征對於臺灣創意產業一直停留在開發「文創小物」，憂心忡忡。她期待能吸引建築、機械、工程、設計等行業的同好與友人，再加上覓計畫已經建立起的藝術家網絡，聯合基金會藝文管理及執行人才，一起攜手合作，發展出臺灣前所未有的創作生態，激盪出具有當代藝術美感、實用工業設計、社會公益啟發，以及具有未來生活意涵的產品，進而形成產業。

從「學習樹」蔓延為「知識森林」

我非常樂見HAX計畫中，當代藝術、新興科技加入人類未來生活的想像，得以建立一個有機的文化製造系統，從藝術、建築與汽車、行動工具進行跨領域整合。如果說我在基金會成立之初秉持「文化播種」的使命，那麼，基金會所曾播下善念的種籽，所累積的人文基礎，歷經五十年時間，不僅茁壯長成一株大樹，甚至也蔓延成一座知識的森林。

落實最新的規畫，HAX正在打造一棟全新大樓，以三百六十多坪的新基地，結合約八百坪的藝文展覽及教育空間，座落在關渡平原邊緣的工業區，讓更多當代藝術家擁有創作、實驗和策展的空間，成為一個實現新點子，培育新人才的基地。淑征對我說，期待這裡可以孵育更多藝術家的大夢。

二〇一〇年，我七十歲，裕鈞和淑征為我生日宴會定下「The Learning Tree」主題，希望朋友們以書為禮。他們在會場布置一棵樹，將送來的書本堆疊成一株「學習樹」。

二〇二〇年，我八十歲生日宴會主題從「樹」長成了「森林」：「The Learning Forest」，會場布置成了一座書的森林，充滿朋友們的祝福雋語和書本。最讓人驚喜的「生日蛋糕」，是以許多小樹造型的蛋糕錯落排列而成的蓊鬱森林，既傳神又美味，象徵著夢想與文化播種、發芽、茁壯、蔓延的意涵。

回首漫漫人生路，倏然已過八十載。我心中經常會浮現楊牧的〈九辯〉中「迂迴行過」一節的詩句：

春天，我迂迴行過
鷓鴣低呼的森林
搜尋預言裏
多湖泊的草原，多魚
多微風，多繁殖的夢
多神話。我在搜尋……

我也彷彿如詩人所說的，一直在春日的森林徘徊、尋覓與探索，享受人文藝術變換的風景，也一直作為一個搜索者，探測文化教育這條道路能夠鋪設到多遠的天涯……一直在美好的願景中，希望為臺灣撒下更多人文種籽。

我期待裕鈞和淑征也能以創新能力、審美眼光與溫暖熱情，在家族事業綿延發展之下，傳承基金會五十年來的精神，在未來的「HAX計畫」中，持續現在進行式，豐富臺灣精神文化，落實藝術生活，開創出下一個精彩的五十年。

2020 年，我 80 歲生日宴會主題是「The Learning Forest」，會場布置成了一座書的森林，充滿朋友們的祝福雋語和書本。最讓人驚喜的「生日蛋糕」，是以許多小樹造型的蛋糕錯落排列而成的蓊鬱森林。
左起：董陽孜、陳郁秀、簡靜惠、余範英、張淑征、Roxi、洪裕鈞。

對談

洪建全基金會成立至今五十年，當年參與基金會或與基金會有深刻連結者，都有深刻動人的故事，有的是回顧，有的是延續。簡靜惠董事長特別邀請黃春明、林懷民、詹宏志、楊照與她對談，留下「口述歷史」，對照出簡董事長書寫這本書的另一個視角。

謝謝臺灣師範大學須文蔚教授與臺北藝術大學于國華副教授分別擔任主持人，拋磚引玉，彰顯四場精彩對話。

謝謝雲門劇場提供場地與多方協助，在此一併致謝。

說不盡的精彩故事

黃春明 ╳ 簡靜惠

主持人

須文蔚

窮小子在《書評書目》獲得好評，勇敢闖蕩文壇

簡靜惠——黃春明是一九六六年到臺北闖蕩，與基金會結緣在一九七〇年代初。您當時剛從鄉下進城，在明星咖啡館點一杯十五元的咖啡，從早泡到晚，寫出許多知名的文章，您可以回憶一下，當年與洪建全基金會結緣的經過？

黃春明——原來我跟太太都在中國廣播公司宜蘭臺工作，後來到臺北闖蕩。剛到臺北時，真的一無所有，我們總共搬了七次家，第一次的家是一個台電的職員宿舍，房東其實是二房東，把很小的房間租給我們，我根本沒有辦法寫作。加上小孩子陸續出生，每當我想要寫作的時候，遇到小孩感冒，大哭，太太都要抱著孩子，在松江路一百二十三巷九號外面來回走，我才可以專心書寫。

後來，我在漢口街的國華廣告公司工作，附近有明星咖啡館。當時臺北並沒有太多咖啡店，明星在二樓，一上去，我找一個沒有客人的角落坐下。

因為我是鄉下來的，比較懂得不好意思。如果我當天有錢，早餐喝一杯咖啡十五塊，中午再吃一個炒飯，消費較多。但是我有時候沒有錢，一杯咖啡，一坐一整天，佔了一個位置，還有廁所可以用，我算起來很划算。我在廣告公司當文案寫手（copywriter），很多的idea都從那裡開始發展的。同事有事情就打電話找我，沒有事我就一直在那裡寫作。老闆簡錦錐看我寫作那麼努力，會交代同事：「黃桑坐這裡，他人如果不在，你不要幫他收，把咖啡留在那裡，他還會回來喔！」常常這樣，讓我很感動。

後來在明星咖啡館，結識了隱地、景翔等人，也認識了簡靜惠老師。我開始閱讀《書評書目》雜誌，得到許多訊息與知識，更得到評論與鼓勵。我因此經常拜訪隱地，常到位在博愛路的書評書目辦公室走動。

簡靜惠——小說家通常很寂寞，因為要等待評論家介紹與評價，方能喚起讀者與評論界的重視。在《書評書目》創立初期，何欣教授就曾寫長文〈論黃春明小說中的人物〉給予您高度評價，您能回憶一下《書評書目》與您創作生涯的關係？以及當年閱讀的《書評書目》感動與啟發？

黃春明——《書評書目》登了何欣老師的評論文章，肯定作者，讓我很受鼓勵。小說刻畫人物是小說創作的根本，世界上各民族都有各自的語言文字，意義還是不能互通，能互通的是利用文字把小說裡人物的遭遇、人情、人性寫出來。在共通人性上，不管你是白人、黃人、黑人、印地安人，都一樣的，如此才可以翻譯，所以小說裡面人性是很重要的。

人性說起來很抽象也很具體，具體面小說家總能很細緻地刻畫，栩栩如生，讀者透過文字，可以想像到人物的一切。所以我們小時候聽故事、看戲或講故事，都是用語言傳達的，比方說《三國演義》中關公的赤兔馬多厲害啊！一日千里，流血汗，多厲害？但電影拍只不過就是一匹馬，很難表現出小說裡面那樣的棒。所以我們說，小說家透過文字刻畫人性太重要了。在我寫作小說的初期，就得到何欣老師的評介，奠定了我寫作的信心。

簡靜惠——黃春明喜歡把正在構思的故事講給家人與朋友聽，從聽眾的反應上，不斷改變說故事的策略，寫出精彩的故事。當時基金會在博愛路時期，您常來講古，連我公公洪建全老先生都曾經循著笑聲來當聽眾，可以請您回憶一下當年歡樂的場景？

黃春明——每一個小說家孕育故事的方法都不一樣，我的方法就是愛講故事，透過講故事的過程，觀察聽眾的表情，大家聽了都覺得好笑，或者難過的地方覺得難過，那就能寫出吸引人的小說。反之。當我講故事時，聽眾覺得很無聊，我就知道應該要收斂。所以我有一個習慣，常常講故事，一旦受肯定，就知道題材可以寫，就慢慢發展。

拉樓梯當座椅，黃春明笑聲四溢說故事

簡靜惠——黃春明跟柯青華（隱地）認識之後，就常來書評書目辦公室。那時候剛成立，我們就在博愛路，把國際電化商品公司的一個小房間當成書評書目辦公室。小房間剛好在走道上，旁邊有一個樓梯，前面就是辦公室。那樓梯

可以通到四樓會議室，而樓梯平常是放倒的，要上去時，再把樓梯擺上，再爬上去，那個樓梯就是您——黃春明的座位，因為沒有地方可以坐。

黃春明只要來，就坐在樓梯口講故事。黃春明的聲音，還是跟現在一樣，滿大的，唱作俱佳。不僅說故事，也談理想。聽黃春明講去廣告公司之後，拍媽祖回娘家的紀錄片，講述臺灣很多地方的故事，臺灣的牛怎樣被拉到牛墟，可憐落淚的模樣！大家都聽得「耳仔㧌㧌（khap）」，耳朵都趴下來了。

不僅是我，我的小叔洪敏弘路過問道：「這個人是誰？哪裡來的？講話有宜蘭腔，臺語又說得很輪轉！」也成了黃春明的忠實聽眾。黃春明在我們家滿有名的，在歡笑聲中，我們聽了不少故事。我記得黃春明說過一個白梅的故事，這個故事後來就發展成《看海的日子》，我們是最早聽到第一版故事的幸運兒。

黃春明——《看海的日子》源於我對妓女戶的觀察，因為我在那裡半年多，幫忙修理過電風扇。在臺北寶斗里、重慶北路三段，有一條巷子進去，到寧夏路那邊，這一帶都是妓女戶，寧夏路再過去，到刑事警察總局那邊，還是零零散散的私娼館。當年只有電風扇，是日據時代留下來的，都很破舊，妓女戶空間小小的，走道矮矮的，空氣也不透，潮濕，味道又很不好，電風扇用得很勤，日據時候留下來的，損壞率很高。我剛到臺北找不到工作，終於在延平北路三段附近的一家電器行，找到工作。

這家電器行是一對年輕的夫妻開的，我說：「我對修理電器有興趣。」老闆還沒有說話，他太太說：「好！」她先考我：「你會不會修理ヒューズ（保險絲）？」我說：「那個很簡單。」「那你會不會修理電燈泡的開關？」我說：「都會！」她就說：「好！」她先生還愣了一下。

先生愣了一下！那個愣了一下，如果寫小說當然要寫進去，老闆沒有說好，老闆的太太說好，老闆還這樣看了她一下，好像莫名其妙為什麼說好。

這個問題在哪裡？第二天我才找到答案。十一點多了，早上老闆娘接了幾個電話，然後，老闆娘登記好了，她都無所謂。而我整個人，頭都充血，臉都紅起來。

我找到的答案是什麼呢？因為以前都是年輕老闆負責，太太當然也知道他去修理電風扇，正如閩南話所說：「摸蜊仔兼洗褲！」老闆娘不高興，所以找了我當替死鬼了。

我在書評書目辦公室說這些故事，表面上在敘述我個人經驗，我會思索故事的講法好不好？有沒有戲劇性？如果朋友們反應好，以後小說裡面需要這麼一段，我就會刻畫出來。

簡靜惠——您曾特別提到，《書評書目》給您的評論對您來說意義重大，黃春明在臺灣的文學界是被肯定的。另外，齊邦媛老師當時在國立編譯館，把您的文章選進了課本裡，甚至還引發了很大的社會討論和爭議。可不可以談談，評論在您的創作生涯剛開始時，對您的影響。

黃春明——在當時我真的有一點創作狂，家裡再怎麼窮，也比不上寫作重要。當時孩子出生了，我跟太太說，我們現在所遭遇的困難，我們兩個人都要扛起來，但是小孩子不能吃苦。那時候非常貧窮，房租是六百塊，本來月初就要給，我都月底給，到了月底還是沒有錢，一大早六點就出門，怕房東看到我。

我在廣告公司是九點半才上班，我六點就出門，只好到處閒逛。在第三號水門附近，看勞力的人招募，看賣東西的市集。給小孩子吃進口的S-26奶粉。小孩生病了，只好買電臺廣告上的藥，拆了包裝要給小孩子吃，我又很生氣地把它丟掉。為了帶孩子到醫院去，只好典當家中的收音機、小孩子周歲娘家送的金牌、太太的項鍊，才有錢帶孩子去兒童醫院。大人吃什麼？麵條燙熟了，拌一點豬油醬油，就這樣吃了一陣子。

寫小說那種狂熱，都源於我的生活經驗。學院裡的評論家常常很受限，不能理解底層人物的生活世界。以《看海的日子》裡的白梅為例，後來回到她的娘家，村子裡面的人都知道她當妓女，但對她很客氣，她還指導農人不要急著賣地瓜，以免遭到削價。就有小說評論家說，黃春明太浪漫了，白梅當過妓女，回到娘家還受人家歡迎，是不可能的。

評論家不懂，妓女這個名詞，原來是一個名詞而已，但是後來變成罵話，把一個名詞變成形容詞，變成那麼惡毒的說法，是在文明社會中的現象。在貧窮的時代，所有的妓女沒有一個是志願去的，而是被出賣的，被壓迫的，白梅的家人當然不會那麼瞧不起她。我覺得，生活本來就是教育，理論家如果缺乏生活教育，大部分都從書本上得到抽象知識，但生活並沒有那麼抽象。

記得有一次我到書評書目辦公室聊天時，大家問我：「你今天寫什麼？」

「我現在寫《小寡婦》！」

《小寡婦》談越戰期間，臺灣人想賺美軍錢的故事，實在與廣告與行銷的理論有關，商品化、包裝與廣告，從頭到尾都繞在這些觀念，其實都是活生生的經驗。我因為當時在廣告公司工作，經常面對日本的商人。日本人代表非常臭屁，盛氣淩人，但待我不錯。工作經驗轉化為小說，成為我創作的養分。

簡靜惠——每每聽黃春明講故事以及觀察他的創作過程，我覺得他真是一個有強烈悲憫胸懷的人，也讓我們閱讀他的小說的時候，觸碰到這份關懷就會非常感動。黃春明也不是特別去強調人道精神，讀者很自然會看到文字裡面散發出生命的脆弱、人性的光輝。我覺得比較可惜的是，我們經常聽黃春明講故事，後來這些故事都引發很大的社會衝擊，也都是非常暢銷的書，但都不是交給書評書目出版社出版。

巧思安排尉天驄頒獎，黃春明感念貴人相助

簡靜惠——我擔任國藝會執行長時期（一九九九年），黃春明獲得了國家文藝獎，我和同仁安排了尉天驄教授擔任頒獎人，可否請您談一下當時的心情？

黃春明——我走上文學的路，尉天驄是我背後的重要推手。他當時辦《文學季刊》，參與的作家有陳映真、劉大任和七等生，我是七等生介紹參加的。當時主流的文藝風潮是現代主義和存在主義，都是非常具有知識性的，但在政治高度的管制下，僅流通美國方面的翻譯書，俄國的翻譯都不行，本土更罕見。很不容易開始有本土的、鄉土的創作與評論出現，尉天驄把大家靠攏在一起，強調現實主義與社會寫實，呼應我要寫的社會現實。

我創作中處理相當多鄉土題材，一篇一篇，很多都引起熱烈的討論。當年國民黨開始批判鄉土作家，傳說王昇開始要抓人了，陳映真、尉天聰與我都感到風聲鶴唳。據說鄭學稼給了一個建議，不要壓抑或逮捕，不妨反過來，從鄉土文學裡面找一個作家，頒獎給他，強調其中民族主義和反殖民的意義，而我就成為對象。鄭學稼的建議，看來起言之成理，但也顯得很難看，昨非今是，不是很奇怪？無論如何，我和尉天驄堅持鄉土文學的論點，安然度過論戰，回想起來還是很感動的。

所以請尉天驄頒獎，我當然很高興。我記得，我致詞開頭說：「王老師我得獎了！」我眼睛是往上看，臺下是貴賓，然後才跟臺下說，為什麼向王老師致敬？因為王老師是我初中二年級時候的國文老師，也是級任老師，後來被指控是匪諜而槍斃掉，是他鼓勵我寫作的。

無論是王老師、尉天聰或是林海音都是我的貴人，黃春明沒那麼偉大，我常常以打彈珠來比喻，錢丟下去彈珠就出來，大概有五顆，我們就啪啦一打，彈珠就撞了很多根釘子，差不多掉在沒有交點的地方，很難得掉在左邊那個可以得獎的角落。我覺得，我們的先天沒有辦法改變，彈珠就是固定的彈性，但後天的努力和機運往往是不同的，你拉得很緊繃，或者是輕輕地彈上去，彈珠所碰到的釘子不同，滾進的角落就會不同。

簡靜惠——洪建全基金會經營了五十年，黃春明見證了我們的成長，也請您給我們建議和期許。

黃春明——洪建全基金會一直有很好的表現，在閱讀風氣消失的今天，面對出版社一直關掉，重慶南路的書店也只剩下幾家，大家都忙著滑手機，敏隆講堂的人文課程能長期堅持，彌足珍貴。

如果基金會能更有創意，舉辦更多活潑的藝文活動，讓小孩子和年輕人重新拿起書本或者好雜誌，是新的挑戰。我一直相信，所有藝文推廣的形式，隨著時代都不一樣，不能再重複以前的做法。如果沒有改變，讀者不會認同，所以要更加強研發新的創意與活動，加油，謝謝！

讓一個世代青年
圓藝術之夢

林懷民 ╳ 簡靜惠

主持人
于國華

從視聽圖書館通向藝術世界

簡靜惠——我們同行在臺灣藝文推廣的道路上，一回首，洪建全基金會也要慶賀五十歲生日了，請懷民回憶一下，過往對基金會的認識？

林懷民——我要講一個故事。上個禮拜一個朋友告訴我，他在念國立藝專的時候，常常從板橋坐車子到中華路洪建全視聽圖書館。在那裡，他第一次戴上耳機，聽到那麼大，那麼美好的聲音，世界因此開朗了。他每次去都會待到閉館前的最後一分鐘。他說，每次回家的時候都像在做夢一樣。

那個朋友叫作李安。

簡靜惠——我很會揩洪家的油，當時家族在南京東路有房子空著，我就爭取來設置視聽圖書館，後來遷到中華路以後，就更具規模，不僅設置了最新的唱盤、電視和錄影設備，也把洪家兄弟家裡收藏的唱片「借來」，成為許多年輕人聆聽音樂和看電影的啟蒙空間。像李安一樣的年輕人，當時辦會員證，學生一年一百元，一般成年人是一百五十元，我們堅持要付費，讓使用者尊重資源，每個人可以有一個卡座，聆賞影音，不能外借。

林懷民——在那個時代，視聽圖書館對於藝術飢渴的年輕人是非常重要的。我呢，我自費用稿費買唱片，三十塊錢一張，塑膠做的，可以彎來彎去，可以用水去洗。我在家裡翻來覆去專心地聽那幾張唱片，去視聽圖書館的時間不多。但是偶爾去了，那裡的收藏和設備也為我開啟了更大的世界。

支持雲門創作自己的音樂

簡靜惠——不只如此，我們也支持民謠採集與音樂製作，也因為這樣的因緣，能夠結識林懷民。以前正式的表演都是芭蕾舞，林懷民跳舞是打赤腳在舞台上蹦蹦跳跳的，那些老先生是很看不慣的。記得有一天林懷民穿著拖鞋、汗衫，夾著海報就進來基金會的辦公室，跟我說，雲門將要演舞劇《白蛇傳》。

林懷民——我一九七四年去找您，帶著前一年雲門首演的海報。創立雲門的時候有個想法，因為我們受到西方太多影響，希望能用臺灣作曲家的音樂編舞。但要進錄音室錄音樂沒有經費，所以就去找您。其實我們不認識，您卻慷慨地答應，非常感動。

第一個贊助就是賴德和的作品《白蛇傳》。後來您又支持了我們十四個曲子，您自己大概都忘了有這麼多。這裡面有馬水龍、許博允、李泰祥，還有史惟亮、許常惠這些長輩。

歐美的舞團、劇院、樂團、廣播電臺都會委託作曲，作曲家有很多創作的機會。臺灣委託作曲的機制很少。到今天為止，這些現代音樂家仍然非常的辛苦。

當年因為您的慷慨，支援雲門做這個事，音樂家因此能夠發表他們的作品，廣大的群眾也認識了李泰祥、許博允、賴德和、溫隆信、馬水龍這幾位年輕的本土作曲家。臺灣開始有了一個音樂的氛圍。那是一個很值得懷念的時代。

簡靜惠——因為一九七〇年以後，很多國外的留學生陸續回來臺灣，然而我自己不是創作者，是讀者也是聆賞者。基金會可以是橋梁，作為輔助推動者，要發展一個文化事業不是那麼容易的，社會上有很多的藝術家很多的作家，需要去支持……

林懷民——您做的事情非常的多，除了作曲，您也支持民歌、兒童文學的創作與出版。我覺得，洪建全基金會跟許多成功的基金會有一個很重要的相似點，您有一個vision（眼光）、有一個使命感，您知道您在做什麼，在什麼時候做什麼，因此對社會有足夠的影響力。

保存了陳達的臺灣之聲

簡靜惠——基金會當時展開民謠的採集，就很有理想性格。記得許常惠熱愛音樂，也有個人魅力，他說服了洪建全老先生支持他的採集音樂計畫。許常惠發現了陳達，把他帶上來，他生活比較無著落，希望我們支持，我公公還每個月撥兩千塊給他當生活費。

林懷民——七〇年代我從美國回來，在政大當講師，薪水是兩千九。

簡靜惠——最值得紀念的莫過於請陳達到洪建全視聽圖書館來彈唱和錄音，這個帶子後來出成唱片，保存了珍貴的民間藝術。

林懷民——我讀大學時，剛好是史惟亮跟許常惠先生他們在採集民謠。我們因此認識了陳達這個名字。但是聽到陳達的歌聲，是在視聽圖書館。後來，一九七八年，我請了邱坤良先生到恆春，很辛苦地把陳達請到臺北，為雲門錄製了〈思想起〉，作為《薪傳》的間奏曲。即使不懂臺語，不懂他在唱什麼，陳達的聲音直衝心裡，許多觀眾不禁淚下。我一直覺得他是臺灣之聲，島嶼悲情的象徵。通過了洪建全基金會和雲門，陳達的聲音被聽到了。很可惜在今天又消失了。

簡靜惠——當時因為羅曼菲的介紹，基金會還支持了楊弦的中國現代民歌，讓我們從古典音樂和西洋音樂跨足到中國現代民歌。

期盼臺灣能累積厚重的創作

林懷民——我想說一個事情，剛剛我們提到的作曲家裡，許常惠、史惟亮和李泰祥，他們都過世了。今天臺灣從事各種前衛的嘗試，但是沒有培養足夠的作曲家，把音樂創作水準帶上去，創作大作品的機會還是不多。什麼是飽滿的？什麼是大家可以認同的？什麼是可以一直傳唱的？今天也許比一九七〇年代更需要把有分量的創作介紹到社會上。可是有分量的作品單靠作曲家個人掙扎，無法實現。基金會做了很多事，如果已經在做過的都能繼續堅持，那個基礎一定更厚實。

簡靜惠——我們未來努力的還是創作播種，在音樂上，我們留下來的是音樂講座。創作我們還是關注的，在藝術上有「覓計畫」，重點在文化基因的再創造，主力放在當代藝術，但是音樂與舞蹈創作的部分，未來也可再考慮，加入工作重點中。

林懷民——我覺得現在國外流行環境劇場、裝置藝術等那些東西，我們也可以做這些東西。前衛的東西非常好。但是，西方為什麼可以做出好東西，因為它根柢在，可以不斷地試，做失敗了，根柢還在。新的創作可以像一棵樹一直長一直長。

我最近在臺中國美館，看到前輩畫家，像林玉山、郭雪湖、陳進臺展時代的畫，很受感動。原來他們在三〇年代就畫這麼大篇幅，這麼精緻的作品，這麼厲害。這些前輩畫家的名字都是在一九八〇年代以後才開始浮現。我想如果我年輕的時候看到這些東西，一定會做出不一樣的作品。我常擔心，現在我們做了很多的嘗試，到最後臺灣文化仍然沒有厚實的根基，一切可能只是光影。

基金會已經在做的事，一定要堅持下去。支持音樂創作是其中之一。

簡靜惠——謝謝，我覺得這是很好的提醒，或許可以作為基金會未來再度思考的參考建議。

是文化人
更是編輯人

詹宏志 ╳ 簡靜惠

主持人
須文蔚

與人生相伴的洪建全基金會

簡靜惠——詹先生是重要的編輯人、評論家與企業家，能否請您談一下，您所知道的洪建全基金會在臺灣文化非營利組織中，所具有開創者的時代意義為何？

詹宏志——我很幸運，恰巧在二十歲時接觸到洪建全基金會。基金會在每一個時期的創意與開展，都跟臺灣社會文化發展有緊密相連的邏輯，我也在不同階段受到不同的啟發，現在回頭看，彷彿基金會和我人生一直相伴。

洪建全基金會是第一個以文化教育為願景的基金會，這個開創性的想法、宏願與悲願，在當時是很震撼的構想。在一九七〇年代，一個資源匱乏的時代，其他基金會的宗旨，大多是救濟、布施、救災等工作為主，而洪建全基金會是開啟了把重心放在文化上。

對我影響深刻的，第一個就是《書評書目》，開啟了「書評」，亦即推廣讀書，詮釋書的內涵；再來是「書目」，包括出版訊息、目錄等。我幾乎每一期都看，因為我姊姊是個圖書館館員，她對這個雜誌有最強烈的認同。

在我大學時期，洪建全基金會推動了一件重要的課題，就是臺灣的民歌運動。我剛到大學讀書的時候，正是臺灣年輕人學民謠吉他的時代，一開始學民謠吉他，擁有一把四、五百塊錢的吉他是所有年輕人的夢想。一開始學的都是西洋經典民歌，Joan Baez或者Bob Dylan。當一個環境裡，青年想通過音樂表達自己，而在民間底層湧現的民歌運動，洪建全基金會接下了這波風潮，把學生們用音樂來訴說自己的民謠集結出版，在當時震撼了校園與學生，更影響了其後的流行音樂革命。

簡靜惠——詹先生點出了基金會的開創性，我當時立下宗旨：要播種、關懷社會，以及推動教育文化工作。我這個人也是好事之徒，有什麼新的東西，有什麼好的建議，只要提案是社會需要的，我大部分都同意。參與民歌運動是羅曼菲邀我聽楊弦的演唱會，基金會在毫無經驗下，為了保存美好的旋律，就出唱片，沒有通路，就用書評書目出版社的管道販售。提到《書評書目》，我知道詹先生曾在雜誌上寫過系列的書評，能回憶一下這段文學因緣？

詹宏志——在《書評書目》寫文章是我生平第一個專欄，也因此引發了各式各樣的批評或論戰，也經歷了一段痛苦時光，不過必須承認，如果沒有爭議，可能社會上沒有人認識我。

《書評書目》讓我在二十五歲那年，從一個非常基層的副刊編輯，轉身變成一個和社會頻繁互動的評論者。到現在也不能完全明白：為什麼隱地當時會邀約我編年度小說選？

我後來問過他：「為什麼那麼大膽找一個沒有人聽過、年紀又那麼小的人？」

他告訴我說，一直以來的慣例是，會請年度小說選的主編完成工作後，推薦下一個主編。當季季卸任時，就向隱地推薦了在《聯合報》副刊工作的我，季季當時是我在報社副刊的前輩。

因為要編年度小說選，一年內要閱讀每月發表在報刊上所有的小說，也就應《書評書目》邀約，每月提出小說評論。那是我第一次寫書評專欄，每一期文章都寫約八、九千字的長文，開啟了我理論寫作的興趣。

《書評書目》鋪設嚮往與閱讀的途徑

簡靜惠——詹先生的書評讓人難忘，確實擴大了雜誌推廣閱讀，鼓勵青年小說家的宗旨。《書評書目》同時也建構書目，將臺灣的圖書資訊傳播到國外，也讓讀者認識最新的出版情報，如此大量的書籍訊息，有沒有對如您這樣的資料狂和讀書狂造成一定的衝擊？

詹宏志——應該倒過來說，一個讀書狂跟書目有沒有關係？在七〇年代之前，你如果是一個臺灣的讀書人，唯一能夠理解書的出版方式，是每天去書店翻閱，並沒有一個可靠穩定的訊息管道。相形之下，在國外，比如《時代雜誌》

（*TIMES*）書末有相當大篇幅的書訊跟書評，通常是一本書非常值得一讀，才會寫入書評，態度上是菁英的。又如《紐約時報》（*New York Times*）長期製作暢銷書排行榜，就不完全是書評的概念，比較接近書訊，同時也會報導作家新出版書的訊息。

英國《泰晤士報》（*The Times*）的書評專欄，會找專欄作家專門針對文類或類型文學寫專業書評，例如推理小說評論名家朱利安・西蒙斯（Julian Symons）就每週固定發表，他會挑出值得評論的書，書評本身就包含了書評跟書目，既說一、兩本新書的好壞，也會提到其他的新出版品，每一本書給三百個字左右的描述性介紹，跟《書評書目》的書目比較像。

《書評書目》以書目一一介紹新出版的書，在臺灣是絕無僅有的，可以讓讀者有一個全局觀，認識熱騰騰的新書。對想看書的年輕人影響很大，書評幫助讀者找到更理解書的途徑，為讀者定義書籍的位置；書目則賦予積極閱讀者的雄心，唯有知道更多出版訊息，才有強烈的閱讀熱情，希望不要落後太多，希望能夠知道更多。書目帶給閱讀者數量的召喚，讓讀者明白這世界上有這麼多作者努力書寫、出版各式各樣的書，題目原來如此廣泛，相形之下，一旦自己的閱讀活動狹窄，就會感覺到不安，就想辦法讀得更多。因此，書目的意義不只是圖書館採購參考之用，對讀者來說，可以鋪設嚮往與閱讀的途徑。

簡靜惠——詹先生提到書目會激起讀者急起直追的勇氣與熱情，是相當有力量的提示。事實上，基金會不僅發行雜誌，後來還引進了PHP以及素直友會的讀書會，繼續推廣閱讀。

素直友會是我先生洪敏隆接了家族企業後，應PHP研究所所長江口克彥之邀，參加PHP月刊友會，我也陪同前往多次，我想這是他幫我埋下伏筆，讓PHP友會陪伴我的下半生。我一路推動臺灣PHP素直友會，不只閱讀《PHP月刊》，還提倡讀更多的書，於是變成讀書會，並把企業經營的概念帶進來。我所組織與經營的這個讀書會，不會流於閒談，而是討論讀書、帶動思考、討論與架構的方法，更多是友伴關係的相互扶持。

文經學苑為企業經營提出更高願景

詹宏志——看到洪建全基金會引進ＰＨＰ的過程，跟臺灣社會的發展若合符節。日據時期臺灣有企業，也很多出色的經營者，但經商的方式並不是現代化的理念，比較接近胡雪巖的模式。從二次戰後，企業重新來過，戰後開始有較現代化的經營方式，數字化的管理，以王永慶強調「點點滴滴求其合理化」最著稱，當細節、流程與技術到位了，精神層面反而落空了。ＰＨＰ的概念來到臺灣的時刻，給臺灣很大的刺激，提醒企業在經營上要顧及更高的願景，才能讓企業經營不至於陷入空虛與金錢至上。

我覺得洪建全基金會不僅在導入ＰＨＰ是開風氣之先，引進「松下政經塾」的概念，開創「文經學苑」影響更深遠，我個人也受益良多。一九八〇年代下半，我在遠流出版公司從編輯工作轉往管理層面，我看到文化事業裡的困難不只有編輯，經營者不能跟文化有衝突，他必須是一個同情文化的人。我當時想激勵自己，扮演好這樣的角色。出版社編完書常沒有很好的業務與銷售企畫，我希望專心賣書，讓公司的財務跟管理上軌道。於是這時期花很多時間去讀各式各樣的經營管理類書，花最多力氣在行銷上面，大量讀行銷學、管理學、組織學的書，心靈上還是有一點空虛，缺了一塊。我們可以學會各式各樣的知識跟技能，這是為了什麼？經營最終的價值是什麼？這些問題一直縈繞在我心中。

當時「文經學苑」所提出的理念，企業的目標不只有賺錢，更要重視倫理與社會共同進步，是建構企業與個人在資本主義的社會中，找到聯繫個人實現跟社會美好之間的關係，那是超乎經營成效的理念，剛好切合我的疑惑。

對一個文化人來說，做生意同時能找到身心安頓的哲學，藉以跟工作相處，就不會精神分裂，就還能保有自我的完整性。「文經學苑」中，陳怡安老師提出的方法與理論，並不是說就可以直接解答問題，但我在其中看到解決問題的途徑，可以說他提供了營利以外的方向，而我也意識到，原來不只有我思考到文化的責任，這讓我創造每一個經營組織時，應該設法安置文化與社會責任，讓同事可以在社會的位置中，找到自己生命的位置。

洪建全基金會當時出版了許多企業管理的書籍，導入國外的管理新知，也整理了本土的觀念知識，又能透過文經學苑提醒臺灣企業，當經營來到一個地步，必須追求更抽象、更高的價值。簡董事長總能切合時代的需求，提出創新的做法與呼籲，讓我有學習與成長的機會。

簡靜惠——詹先生不愧是趨勢專家，也是深刻的文化人。要讓人文、文化與企業經營整合確實是一個艱難的議題，我先生洪敏隆跟陳怡安老師討論後，就曾在三十多年前提出了「雲與石」的架構，雲是人文，石是企業，兩者要能結合，企業才能永續。我兒洪裕鈞前一陣子讀了他爸爸的文章，對我說：「原來爸爸經營企業的理念，跟我一樣，文化會帶領產業的發展。」我很感動，這是一種傳承。他們父子有著共通點都認為：文化應該引導企業。

我還是想就文化面，多請教詹先生，我只能算是閱讀的行政推動者，您是一個引渡者，推動閱讀的方式很特別，可能每個讀者要去的碼頭不太一樣，您透過旅行、企管、數位、文化與小說等不同議題，帶領讀者進行深度思考。我想請問您怎麼去看待這個時代，閱讀推廣可能有新的想像與做法嗎？

詹宏志——當代不只在臺灣，全世界都面對閱讀與藝術推廣的艱難情境。當代社會的注意力是分散的，過去曾經是相當集中的。小時候很多大師演講不但聽眾多，媒體也重視，例如：胡適之在臺大體育館演講，三萬人；錢穆先生在中央日報演講，報紙以顯著版面報導，演講到最後一場，禮堂倒塌，錢穆先生受了傷，住院住了好久，也是一件大事。那個時代，社會上的事件不多，文化事件也可以有相當大的凝聚力。記得兒時鄧昌國指揮交響樂團的演出，我在鄉下打開收音機聽實況轉播，我們沒有機會接觸到古典音樂，這是唯一吸收養分的管道。

現在文化推廣最大的困難是，我們面對一個眼球分散的社會，好處是社會上發生多元的事件；難處是你想要推薦一個價值，想要推動一個理念，想要敘述一個故事，想要講述一個概念，想在眾多訊息當中佔一點點位置都很困難。所以，作為一個文化工作者很容易挫折，發現經常做很多努力，最後都沒有超過朋友圈與同溫層。現實上，同溫層中層跟層之間，群跟群之間，看似有許多溝通工具，但隔閡比過去都大，也造成溝通障礙。

談到推廣閱讀，我認為閱讀只是一個手段，企圖讓讀者接近知識或者接近創作本身，其中必然隱藏著評價，就是說，推廣者花力氣引介與評論不同的書籍，都想把書的好處說出來，擠進讀者閱讀的排序的前端，因此涉及了價值跟態度的競爭跟交流。如果從這角度看，現在是歷史上最難的時刻，每個推廣者看似都有強大的網路行銷工具，每一個工具看來都可以同一個時間觸及全世界每個角落，可是想要突破朋友圈往往都很難。

當今要做任何閱讀或文化推廣，一定要有比過去更大的激情，以熱情衝破障礙，要設法接觸與說服不認識與不相干的人。你也必須要求自己培養出能散發能量與魅力，在這個時代，需要這麼做。像陳怡安老師的演講就展現出他個人的魅力，吸引人的不只是他的理念，更包括他的表述方法和溝通能力。現在比過去更需要注重表達手法，推廣者需要具備表演者的能量，必須經營好形象與熱情和大眾溝通。

我覺得在網路時代，正是溝通情境支離破碎，價值觀更支離破碎，讀者覺得誰也不欠誰。你發表一個意見，網路上一定有一百種酸你的方法，這是我們現在面對的文化，一定要有比過去更強的心臟與更大的熱情，才能夠突破困境。

不過我更相信，當代一定有新的課題，特別是年輕人感受到社會帶來的艱難處境，跟上一個世代不太一樣，所以需要新的理念、創意與做法。我也相信，每個時期都需要新的社會引航人，我們無須悲觀，不妨再看看可以做些什麼。

期待新世代勇於跨界與引領時代

簡靜惠——基金會五十週年也是世代交替的時刻，詹先生和我兒裕鈞跟媳婦淑征都很熟悉，可以請您談一談他們的特質？創意的思維？面對新世代的企業文化衝擊，及您對基金會的未來有什麼樣的想像和期許？

詹宏志——我認識許多青年世代的朋友，他們跟我的世代不同，我們是草莽的年代，我大部分都在嘗試社會尚未發生的事，因為面對的是從農業社會變成工業社會的過程，因此我們可能都魯莽也簡單很多。新一代的年輕人，一般都有非常好的教育，也有很高的眼界跟豐富的人文素養。

裕鈞雖然常常用英文思考，我跟他接觸最多在設計理念上，他一再強調「有道理的設計」，設計不僅要美，一定要有一個理由，要從功能跟人的關係出來。裕均顯然跟前一個世代的設計師不一樣，不受限於美感、技術與實用，因為現在能達到這樣標準的人非常多，他總能更深刻。PChome到現在都還用他設計的Logo，就是一個好例子。淑征是有個性的建築師，我看過她在TED的演講，能將一個建案從環境、人文、藝術不同層次展現豐富性。

他們比我這個世代有更好的教育背景與世界觀，他們設計與創造的東西比我們的更精緻，對一件事的考量也更周延。這兩位年輕人是有人文背景的創作者，同時也都是企業家，企業必須展現強大理性的內容，必須完成使命，工作必須得到結果，不可能空談概念，一定要有結果來檢證，他們求真務實的特質，是值得看重的。

我對這個世代有很不一樣的期待：期待這一代比我這個世代做更美好的事！我想特別鼓勵新世代，他們有眼界、有自信，但往往有一種很奇特的謙遜，總覺得社會上厲害的人很多，只專心做好眼前的事就好了，不需要站在人群的前面。於是這批新世代的傑出人才，往往都把自己置身在較小的範圍，覺得不要冒犯別人。如果我們這個世代可以給這代參考，我們大部分勇敢從事的，並不是因為我們知道，反而是知道的事很少，通常做的事都超過先前理解的範疇。因此，一旦能從自己的所知與想像，放大視野，勇於貢獻社會，一定會有意想不到的開展。

這正是洪建全基金會的成就，過去每一件事在當時都沒有前例，也因此才對社會有那麼大的啟發！用現在的觀點去看，或許當時每件事都是粗糙的，卻都是開風氣之先，「但開風氣不為師」，就因為有嘗試的衝動，後面才能開花結果，可以做更上一層樓的事。

我覺得基金會有好幾件事情在當年都做得非常即時，同時又有些事能一直持續，光是敏隆講堂二十幾年的累積，使民間辦學意義非凡。社會不斷變動，講堂持續授課。畢竟民間講學，跟學院講課大不相同，因為講者必須拿生命材料來交換，要打交道的對象不是學生，並不期待在學術裡得到結果，而希望把上課所得帶回生活裡起作用。敏隆講堂所開啟民間講學的風氣，無論在華人世界或全世界都很罕見，如此大量的講者跟聽眾構成的講座，很大的程度補足學院教養的不足，也補足社會失去宗教、道德等信仰力量後，重新找到一股維繫社會運作的力量。

簡靜惠——在基金會未來的發展上，因為我們兩代的嗜好與學養不太一樣，我關注歷史、文學與教育，裕鈞和淑征比較關心設計、當代藝術、建築文化，可見會把人文精神帶到更高與更務實的階段，尤其在數位時代中，相信更能融入更多新的觀念。

詹宏志——我想是一定的，設計的文化、環境的關注，加上數位的科技和社會的觀點，面對新時代，其實需要文化去收科技帶來的缺陷，如是的呼聲越來越強，社會也更需要新的觀點、新的理解。我覺得，新一代經營者如裕鈞和淑征，對新技術與觀念非常熟練，會在裡面看到社會新的需求，進而掌握新的變化，本來關注一個不斷更新的題目，即時提供解答，就是洪建全基金會最大的本領，基金會向來就是一個不斷自我更新的組織。

有意義的編輯人

簡靜惠——我覺得基金會這麼多年來很幸運，我們只是提供一個場域，提供一個機會，提供一些可能，都是詹先生和許多的學者專家把人文內容帶進來，推廣到社會各個角落。不管是我也好，或是將來裕鈞和淑征也好，都是機構的推動者，真正的內容還是需要更多文化藝術界人士來此發聲，豐富這個場域。我記得詹先生在獲得數位金鼎獎評審委員會特別獎時曾說過：「有的人是睡著做夢，有的人醒著做夢」，而您正巧是醒著做夢的人。

詹宏志——這其實是從《阿拉伯的勞倫斯》取材而來，完整的說法是：「人皆有夢，但多寡不同，夜間做夢的人，日間醒來發現心靈塵灰深處所夢不過是虛華一場；但日間做夢的人則是危險人物，因為他們睜著眼行其所夢，甚至使之可能。」

醒著做夢的人比較可怕，因為他真的會去做，破壞社會的都是這些人。

簡靜惠——但是，成就大事改變時代的也可能是這些人。我長年在基金會的感想就是，我是醒著聽人家說夢想，這些夢我不一定要自己去做，因為聽見許多美夢，也因此有讓更多人尋夢的熱情。

詹宏志——您最後說的這段話我其實頗有感觸，您描述基金會的工作，其實就是我心目中的編輯工作。編輯右手邊是有知識或有情懷的作家，左手邊是渴求知識或啟發的讀者，編輯就是鋪設道路讓兩者接觸的角色。途徑是各式各樣的，書是途徑，雜誌是途徑，節目是途徑，演講是途徑。無論如何，我們應當都有同樣的心情，想把左邊和右邊的人聚在一起，共享人文藝術的果實。

簡靜惠——謝謝詹先生讓我理解，原來我在基金會的工作不僅僅是行政工作者，更是有意義的編輯人，我以身為一個編輯人為榮。

對談：詹宏志×簡靜惠

從《書評書目》讀者
到「敏隆講堂」歷史老師

楊　照 ╳ 簡靜惠

主持人
須文蔚

《書評書目》成為少年的啟蒙雜誌

簡靜惠——楊照多次說過，《書評書目》是一本重要的啟蒙雜誌，這讓我很感動。回首當年，我臺大畢業出國，一九七〇年代回到臺灣，覺得臺灣文化有所欠缺，從辦《書評書目》開始，推動閱讀，深化人文評論。可以請您從讀者的角度，分享當年《書評書目》對您的衝擊與影響？

楊　照——我從小學五、六年級開始，就常去國際學舍逛書展，應當是在書展當中買到第一本《書評書目》，啟蒙了我對文學、歷史的興趣。因為我國中一年級時對小說有很大的興趣，有一部分是齊邦媛老師在書評書目出版社出的《中國現代文學選集》。那原來是美新處為了美國的幾個大學製作教材，編選中國現代文學選集，以英文出版，隨後改為中文發行。從來沒看過這麼漂亮的書，綢面精裝，一直到今天都很罕見。看到《中國現代文學選集》才知道書評書目出版社，然後才知道《書評書目》是本雜誌。

可是印象最深刻的其實是兩件事情：一是，當時那個時代（我念國中、高中的時候）是人間副刊鼎盛時期，編輯高信疆推了一個非常特別的專輯叫做「當代中國小說大展」，邀了非常多的人寫，印象很深的是，當時《書評書目》上，應該是陳克環、董保中等人，為人間副刊的大展登的每一篇寫評論，都相當深刻好看。其中我讀了溫瑞安的〈鑿痕〉，覺得技術高超，故事精彩。但後來在《書評書目》的文評當中，提及〈鑿痕〉是由第一人稱寫的，最後結尾的時候，很明顯這兩人死了，如果第一人稱觀點的主人翁死了，這些故事究竟誰來講？讀完評論，讓我意識到寫小說有人稱敘述，有小說紀律的問題。那時候讀的小說還不夠多，那個評論對我非常震撼，原來小說還講究這些東西，不是只有好看。

從那時候開始，先是每個月都買，後來就想盡辦法去訂閱。我常常都喜歡炫耀，我到現在都記得訂閱的劃撥帳號：一九二七四，因為我太常去郵局，後來不只是訂《書評書目》雜誌，雜誌廣告上的書我也很喜歡，例如：年度小說選、簡宛的散文集《地上的雲》、林惺嶽《神祕的探索》

等。我國中三年級時，很想閱讀之前的《書評書目》，看到廣告上推銷合訂本。當時的零用錢買不起，可是太喜歡了，就去請大姊幫忙，第一卷已經絕版了，只好從第二卷買到第八卷。因為我媽媽覺得我近視太深，很不喜歡我看書，我只好把書寄到要好的同班同學家中，就在我家對面巷子，結果，我搬著一堆書，爸爸就在店門口看著我，真是難忘。

不過書目對我意義不大，真正讓我知道，讀書有讀書的道理，這是《書評書目》帶給我最大的收穫。

簡靜惠——書目的整理，是因為我們要方便讀者，特別是海外讀者，更可以提供圖書館運用。我在國外讀書的時候，到圖書館去搜尋臺灣的小說，不但找不到書，而且連書目都沒有。我回到臺灣的一九七〇年代，就感覺到應當提供臺灣出版品書訊、目錄、書介與書評給國外圖書館與研究機構。

楊　照——我讀高中的時候，走在重慶南路書店街，基本上每一個書攤都有《書評書目》，到底當年《書評書目》發行量大概多少？每一年基金會要承擔多少的虧損？那時候給作者或給編者的條件是什麼？我覺得這是很重要的出版史。

《書評書目》精彩的編輯企畫

簡靜惠——《書評書目》無法靠發行打平，需要基金會撥款及國際電化公司的商品廣告支持。以稿費言，一九七二年創刊號的稿約上寫著：「本刊創刊期間每千字七十至一百元，將來發行好轉，當再調整。」我的公公曾說：「賣雜誌比賣電視難」，不過他還是同意支持。可以請楊照談一下，《書評書目》有哪些專題企畫，讓您印象深刻？

楊　照——現在回頭去看，《書評書目》最早創刊的時候，做過一個很有趣的專題，介紹跟評價當時的報紙的副刊。《書評書目》的副刊專題中，依序是中央副刊、聯合副刊、中華副刊，之後才排到中時人間副刊，印象沒錯的話，當時給人間副刊的評語是沒有個性與特色。這就是時代感，因為《書評書目》在一九七二年創刊，那時候高信疆才剛剛開始介入，接下來文化副刊時代到來，還沒有反映在評鑑上。

同時代重要的文學雜誌還有《中外文學》，《書評書目》第一個充分反映出那是一個大家還極度認真讀書的時代，每個評論家都用心把書給消化進去，出現精緻與細膩的書評，評論者的投入非常嚇人。我曾與陳芳明講過，我讀到他第一本書是洪範出的《詩和現實》，其中評余光中的〈火浴〉讓我很佩服。另一次我重讀《書評書目》合刊本，看到陳芳明評當時巨人出版社《中國現代文學大系》詩卷，他把洛夫選詩的方式批評得一文不值，還把洛夫在編者引言中陳述詩的概念，以及洛夫的詩作都大罵了一頓，引用翔實，不假辭色。陳芳明最後還一一評點入選詩人，並舉出有哪些遺珠之憾。要寫這樣一篇文章要花多大的力氣？那時候他人在美國，才二十幾歲，那麼認真寫一篇文章，稿費也不高，又得罪人。那個時代真的很特別，好多人都那麼認真讀書，才能把《書評書目》的書評撐起來。

簡靜惠——稿費不高，但是柯青華絕對不會虧待作者，因為他是一個相當謹慎的人，而且尊重文人。我們還有很強的翻譯評論者，例如陳大安，是齊邦媛老師的得意弟子，出版有《譯評》一書，他所評介的翻譯作品，立論嚴謹，也得罪很多人。

楊　照——當時《書評書目》也還好是您負責，每一期不知道得罪多少人，大家不會拿您當目標。我印象當中《書評書目》從頭到尾都是掛編輯委員會，沒有掛名任何主編。

簡靜惠——主編並沒有掛名，發行人是我先生洪敏隆，我是社長，編輯委員中，柯青華也列名。

楊　照——當時讀《書評書目》真的非常過癮，教我太多事情，從國中到高中，我英文並不好，有次閱讀到陳大安批評關關翻譯的一本小說，非常嚴格，而且寫評論的人自己也接受考驗，他列出原文、關關的翻法與他自己的翻法，一一比對，實事求是，讓人佩服。

因為包容，《書評書目》開啟臺灣文學傳播的格局

簡靜惠——文化是要累積長遠的，剛好《書評書目》是那時候臺灣所欠缺的，也捲動一批精彩的文化人聚集在一起，無論是柯青華、景翔、亮軒、黃春明和一些學者，都常常會來來往往，也開創了臺灣文學的新局面。楊照可以談一下，《書評書目》在臺灣文學史上的意義以及時代精神？

楊　照——在臺灣文學史上，《書評書目》最大特色在於包容性。《書評書目》以書作為範圍，就等於沒有範圍，以當時的知識狀態作為範圍，更接近當時以及其後高信疆所開啟出來的文化副刊風潮，內容多樣性比當時的副刊更廣。以知識的深度或嚴肅程度，更接近後來金恆煒時代的人間副刊，或是《當代》雜誌，有著非常明確的先鋒意義。

我會認為《書評書目》最容易、也最快速反應出時代的關心議題，《書評書目》總是很敏銳刊出文章與評論，讓臺灣出版界感覺到出版什麼樣的書

是有意義的？出書之前的準備是什麼？讀者也就很快地在書與評論間，找到嚴肅與認真的連結。

簡靜惠——我是這個機構的主事者，我確實也希望《書評書目》展現各種可能，出版雜誌、書籍乃至唱片，各式各樣的開創性，人家沒有做的我們都可以去做。我因為不屬於任何一個文化、文學流派，我就是一個教育研究者，我尊重主編，雜誌社可以多元發展。不過，隨著臺灣書評刊物的發展，日益興盛，我也會考量《書評書目》存在的必要性。楊照可以從臺灣書評發展的歷史，分析一下《書評書目》的特色？

楊　照——一九七〇年代的《書評書目》代表劃撥時代，書店行銷體系尚不完整，這時候書評就有引導讀者的意義，幫忙選書，也同時引導出版界與書店，改變出版環境。《書評書目》結束之後，包括周浩正的《新書月刊》其實也沒辦法再發揮這種作用。

因為一九八〇年代開始有金石堂，接下來有誠品，進入了書店主導的時代，鼓勵讀者直接進入到書店，透過排行榜、書店的擺設，告訴讀者應該要買什麼書。那個時代，書店跟出版社關係也改變了，出版社不再有主導力量，書送出去是不能退的。相對的，書跟讀者，經過了書店中間介入之後，書店瓦解了讀者依賴評論的的指引關係。

解嚴以後，一九八〇年代末到一九九〇年代，整個報業環境改變了，挑戰出版環境的是中國時報《開卷》週報、聯合報的《讀書人》，都希望矯正商業引導讀者的趨勢，又把書評帶到另一個新的時代了。

簡靜惠——很開心《書評書目》的出現，讓基金會找到一個可以使力的重點，讓大企業覺得這樣的事情是值得的，這個信心是重要的，否則基金會無法獲得贊助。楊照歸納出書評隨時代改變的歷程，《書評書目》一百期結束，也是大勢所趨，也讓我相信不要戀眷過去的成就。

《書評書目》數位版的重生

楊照——簡董說不戀眷《書評書目》的形式，但我很戀眷《書評書目》，因為我是個讀者，我一直都會記得《書評書目》教我怎麼讀書，養成我閱讀臺灣當代文學作品的習慣，也奠定我人文知識的根柢。

我赴美讀書後，《紐約書評》讓我不錯過美國的文化出版，一直發揮巨大的影響力。臺灣當時出現《書評書目》，真的不輸那個時代的《紐約書評》。我常常就在想說，如果《書評書目》當時沒有停刊的話，它就是我們的《紐約書評》。

以《紐約書評》雜誌、以《書評書目》作為典範，我也一直期待臺灣也有一樣的媒體。整個時代狀況又改變了，我們不可能再靠金石堂或誠品的排行榜，這種導引讀者的功能一直在退化，變成每個出版社都要很努力說書與推廣。在這情況底下，我很希望創辦《書評書目》數位版，並不是復活

《書評書目》紙本，而是以新的形式讓《書評書目》變成一個火種，只要撐得夠久，讀者會知道，當對讀書有任何疑惑的時候，就可以來此找到資源解決疑惑。

《書評書目》數位版可以保留一點點懷舊，我們希望讓大家看到一批認真讀書的人；同時希望評論可以累積，讀者可以在網路上找到所有過去累積下來的東西，讓它更接近原來紙本的形式。因為我真的很眷戀《書評書目》曾經開創的局面，我有一點點力量，剛好我現在主持新匯流出版中心，同事都具備出版專業，也許我們還可以做一點事。

簡靜惠——我說的不戀棧是不拘泥在形式上，但在對讀書、推動閱讀的思想上，還是耿耿于懷、很在意的。於是當楊照慎重地向我提案，希望基金會贊助「《書評書目》數位網路版復刊」時，我一口答應。

這是一個很有創意的提案，當前的社會確實需要一個與書籍出版相關、提倡閱讀的雜誌。以數位網路形式呈現，也正符合時代潮流！楊照這個想法彌補我心中的失落，不是說我不戀眷《書評書目》，我相信書評對讀書風氣的提升作用，但我不戀眷的是紙本的形式，只有一千多本的流通並不夠。楊照提出《書評書目》數位版，能讓讀者看到不同面貌的《書評書目》，基金會自然應當支持，看到書評繼續播種在臺灣的文化界。

楊　照——我們立誓這次復活《書評書目》的播種，至少要做到跟當年一樣長。具體的做法有二：第一件事情，打造《書評書目》為一個平台，邀請認真閱讀與認真寫評論的讀書人開專欄，讓他們更能夠發揮，刊登平常冷門或是不確定讀者會有興趣的文章。我們能夠提供的絕對不是物質上的溫暖，我們提供的是非常小眾但有文化意義的環境。第二件事情，復活《書評書目》就是打造一個箭靶，保護願意好好寫書評和得罪人的作家，在平台的支撐下，讓他們覺得在這裡寫作是值得的。

簡靜惠——基金會必須傳承往前走，有新的想法相當重要，讓年輕一代認識《書評書目》的價值相當重要。我在基金會董事會提出的時候，董事們都支持，也期待能多一點海外書訊，讓讀者在閱讀時可以更有世界觀。

楊　照——我們會跟出版社密切的合作，設計一個平台，讓出版社跟讀者預告正在編輯當中的書，也期待臺灣的出版社宣告他們拿到的外國書籍版權，在那個過程當中，讓讀者可以預期等待，開發出向讀者傳遞世界或國際書訊的一種新模式。

以人文情懷結緣敏隆講堂

簡靜惠——「敏隆講堂」在我們基金會出現，是為了紀念敏隆先生所設，雖然具有家族色彩，但也保有我個人理想在其中。特別在一九九〇年代，臺灣步向功利與商業的社會，社會陷入浮華的風氣中，我希望盡知識份子的力量，把文史哲藝的精神注入基金會中。許倬雲老師當時常回臺灣來開會，就覺得臺灣需要更多人文鼓勵並且期待：基金會能結合人文和經營，發展歷史、文學、藝術、音樂與電影等課程。前有許倬雲老師，之後的歷史課程就要感謝楊照，請楊照談一下和敏隆講堂結緣的過程？

楊照——我跟敏隆講堂比較確切的因緣，是在二〇〇六年接到講堂蔡雅惠主任來電邀請，希望我開設一門以讀書閱讀為主題的課程。我其實嚇了一跳，洪建全基金會竟然找我去講讀書，第一個感受是義不容辭，對我來講也是一個太好的機會，因為自己年少時候最重要、神祕的閱讀祕密基地，現在突然邀請我變成其中的一份子，當時心情滿激動的，立刻就同意。

在思索要開什麼課時，我的老同事南方朔曾經在此開設過閱讀講座，這一點讓我也很激動。過去我常跟他聊，我看他的文章，常嫌他都看外文書，然後就是抄書與寫作，這樣對嗎？我後來越來越了解，他這真的是一種很謙卑的態度。因為讀者沒有機會或沒有時間，他就把書讀了，講給讀者聽吧，這就是一個服務的態度。我是接在南方朔之後，到講堂談閱讀。

多年來，我一直想把對中國歷史的一些看法講出來，第一次在敏隆講堂講課的時候，就剛剛好是紅衫軍的那一年，所有的騷動，來自於我心中的騷動。我過去跟黨外跟民進黨的關係密切，但看到二〇〇一年到二〇〇六年的所有變化，我覺得臺灣本土化走到一個讓我非常陌生，而且讓我非常不舒服的一條路上：只要本土就跟中國無關。對我來說，中國就是本土的一部分啊！如果沒有中國的話，本土就不完整，也有一點點這種激動的心情。於是我開設了一系列長期的課程，談中國歷史、詩與故事。敏隆講堂的同事完全接受。

簡靜惠——其實在規畫課程時，我叮嚀雅惠，楊照如此飽學，但要講就要講跟歷史有關的，因為我們都畢業自臺大歷史系啊！

楊　照——真的是很感謝敏隆講堂，大力支持我講歷史，上了五年，共一百三十堂課，我又花了將近十年的時間，今年（二〇二一）才把書寫完。

簡靜惠——敏隆講堂設定就是文史哲藝的課程，謝謝楊照十年來，給我們帶來的大歷史觀，這對身在臺灣的我們真的很重要。

洪建全基金會大事年表

1971

成立洪建全教育文化基金會

· 董事長——洪建全先生，執行長——簡靜惠女士。

1972—1981

創辦《書評書目》雜誌，臺灣第一本專業書評刊物

· 發行人——洪敏隆先生，社長——簡靜惠女士，總編輯——柯青華（隱地）先生。

1972

開始對外贊助

· 設立空中學校獎金及貧病急危患者醫療基金。

· 鼓勵清寒學子繼續向學。

1973

成立書評書目雜誌附設出版社，後更名洪建全基金會附設出版社

- 出版人文與經營管理書籍。

1974—1992

成立洪建全兒童文學創作獎

- 共舉辦十八屆（第十七～十八屆委由中華民國兒童文學學會辦理）。
- 贊助中華民國兒童文學學會（一九八四年成立），並捐贈相關圖書與資料。

1974

開始藝文贊助

- 贊助民族音樂調查、研究、保存與出版。
- 贊助蒐集與出版中國當代音樂、臺灣校園民歌（楊弦）。
- 長期贊助藝文團體：雲門舞集、廖瓊枝歌仔戲、優人神鼓等。

1975—1989

成立洪建全視聽圖書館

- 館長——林宜勝先生。
- 出版《國際視聽月刊》，刊登音樂相關訊息及基金會行事。
- 一九七六～一九八九：成立附設兒童閱覽室。
- 一九九一：捐贈館藏唱片與資料予國立臺北藝術大學音樂系。

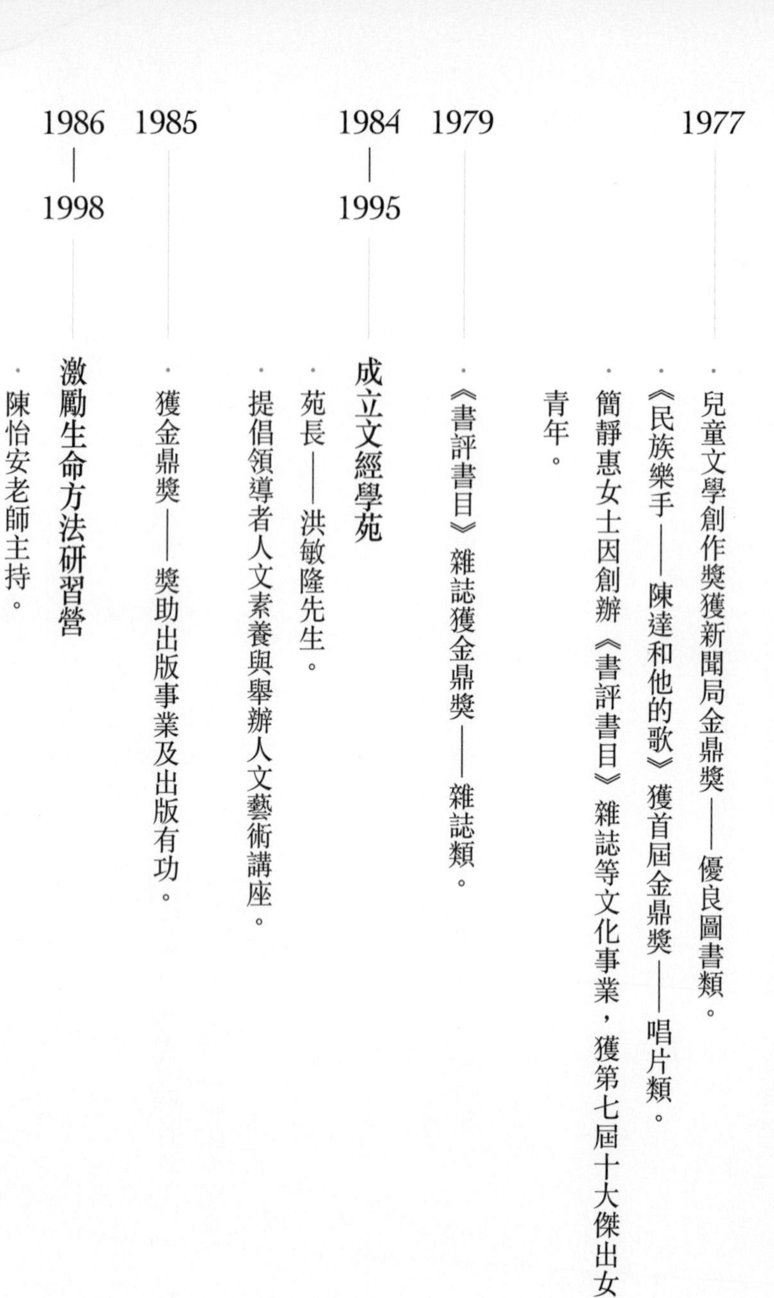

1977

- 兒童文學創作獎獲新聞局金鼎獎——優良圖書類。
- 《民族樂手——陳達和他的歌》獲首屆金鼎獎——唱片類。
- 簡靜惠女士因創辦《書評書目》雜誌等文化事業，獲第七屆十大傑出女青年。

1979

- 《書評書目》雜誌獲金鼎獎——雜誌類。

1984—1995

成立文經學苑

- 苑長——洪敏隆先生。
- 提倡領導者人文素養與舉辦人文藝術講座。

1985

- 獲金鼎獎——獎助出版事業及出版有功。

1986—1998

激勵生命方法研習營

- 陳怡安老師主持。

1987

成立臺灣PHP素直友會

・總會長——簡靜惠女士

・推動讀書風氣與修己助人的素直精神。

・一九八八：與日本PHP研究所交流結盟。

・二〇〇二：與人間佛教讀書會結盟，於世界各地推廣閱讀風氣。

1991—2020

成立洪敏隆先生人文紀念講座

・引領時潮新論，喚起社會大眾對於人文價值的重視與思辯。

・前期由許倬雲與李亦園策畫，後期由簡靜惠統籌策畫。

1993

・洪敏隆家族捐出遺產，購置洪建全基金會，會址：臺北市羅斯福路二段9號12樓

1995

啟用敏隆講堂

・創辦人——簡靜惠女士。

・以人文為主軸，開辦文、史、哲、藝等課程。

・透過系統性、長期與深入的學習方式，帶動社會學習人文風氣。

2004

送人文到企業

・二〇〇四至今：臺灣松下電器公司。

・二〇一一、二〇一五：廈門建松電器公司。

2007

成立覓計畫 Project Seek

・張淑征女士主持。

・覓計畫為洪建全基金會開創性的文化播種與藝術實踐的引擎，以創作者（Creator）尋覓創變基因的觀點出發，構築跨世代多元的文化生態（Culture of Creation），啟動不同尺度的贊助計畫來回應行進中的當代藝術。

2007

素直友會關愛計畫

・於偏遠山區學校推動結合身心靈合一的學習。

・贊助伊苞老師至南投親愛國小鼓樂教學。

2007

・獲金鼎三十「老字號金招牌」資優出版事業特別獎

2013

設洪建全先生紀念講座

・洪建全基金會與建弘文教基金會合辦。

2015

設立銅鐘經典講座與銅鐘藝術賞

・為感念父親栽培養育之恩，簡靜惠董事長個人每年捐助一百萬元設立。

・二〇一五～二〇一七：以文學為主——銅鐘經典講座。

・二〇一八～二〇二〇：以藝術為主——銅鐘藝術賞。

2021

《書評書目》再現

・網路版，贊助新匯流基金會。

・數位資料庫，與聯合知識庫合作。

2021

HAX計畫 典範移轉

・洪裕鈞先生與張淑征女士主持。

・傳承洪建全先生將收音機、電視機視為「文化載具」的典範，「HAX計畫」將是洪建全基金會下一個五十年的發展引擎。

HB0445

植栽一座文化森林

洪建全基金會 50 年

總 策 劃——簡靜惠
作　　者——簡靜惠
採訪撰稿——須文蔚
總 編 輯——曾文娟
編輯協力——黃靖芬、朱公望
校　　對——簡靜惠、須文蔚、曾文娟、張耀娥、詹修蘋、黃靖芬
美術設計——江孟達
專案企劃——金多誠
照片提供——洪建全教育文化基金會、簡靜惠
臺灣松下電器、雲門舞集、國家文化藝術基金會

內頁排版——立全電腦印前排版有限公司
製版印刷——永光彩色印刷股份有限公司

發 行 人——洪簡靜惠
出版管理——張耀娥
出 版 者——財團法人洪建全教育文化基金會
100420 台北市羅斯福路二段 9 號 12 樓
電話：(02) 2396-5505
傳真：(02) 2392-2009
https://hongfoundation.org.tw

初版一刷——2021 年 11 月 1 日
定　　價——新台幣 480 元（精裝）

ISBN 978-957-0351-26-2　　Printed in Taiwan

國家圖書館出版品預行編目（CIP）資料

植栽一座文化森林：洪建全基金會 50 年 /
簡靜惠 作 .
-- 初版 . -- 臺北市：
財團法人洪建全教育文化基金會，2021.11
面；公分 .
ISBN 978-957-0351-26-2（精裝）
1. 洪建全教育文化基金會
068.33　　110015896

HONG
FOUNDATION
洪建全基金會